KB003398

나에게, 낭독

내 마음에 들려주는
목소리 ─────

나에게,
낭독

서혜정 · 송정희

페이퍼타이거

낭독으로 많은 사람들을 만났습니다. 가슴에서 공명하고 입 밖을 벗어난 소리는 내 마음에도, 다른 이의 마음에도 가닿곤 했습니다. 그래서 우리는 낭독을 '사람과 사람 사이'라고 정의합니다. 오랜 시간 소리 내어 글을 읽고, 낭독 강좌를 진행하면서 그 유익과 기쁨을 더 많은 이들에게 전하고 싶다고 소망했습니다. 막연하기도 하고, 어느 부분은 유독 구체적이기도 했던 그 바람이 책을 펴내는 길로 이어졌습니다.

책을 준비하면서 낭독을 전한다는 생각에 즐겁기도 했지만, 경험하면 알 수 있는 것을 글로 표현하기가 쉽지 않아 고심하는 시간도 길었습니다. 더 많은 설명과 증거들을 붙이고 싶은 욕심이야 컸지만, 그보다는 우리가 직접 보고 느낀 것을 전하는 것이 가장 효과적이라는 생각이 들었습니다.

이 책에는 낭독의 여정이 기록되어 있습니다. 그저 자기 목소리를 들어보는 것만으로 눈물이 흘렀고, 글이 생생하게 살아 움직이는 체험을 했으며, 내면에 숨은 감정이 드러나는 경험을 했던 우리의 이야기가 실려 있습니다.

또 태어나서 처음으로 자기 목소리를 꺼내보았고, 소리 내어 글을 읽으며 자유를 느꼈으며, 낭독으로 스스로를 위로했던 주변 사람들의 이야기도 실려 있습니다. 이 모든 여정 속에 자기 소리를 찾아가는 과정과 목소리를 빛나게 만드는 조언도 녹아 있습니다. 낭독을 처음 접하는 사람들도 책 속에서 말과 목소리를 좋게 만드는 비밀을 발견할 수 있을 것입니다. 종이책과 오디오북을 각각 제작하여 저희의 뜻을 충분히 담고자 노력하였습니다.

모든 사람이 성우가 될 수는 없지만, 소리 내어 글을 읽으면 누구나 주인공이 될 수 있습니다. 내 입술을 떼면 새로운 공간이 열리고, 그곳에 발을 들여놓으면 여행이 시작됩니다. 작품 안에서 자유로이 유영하며 감정을 표현하고, 타인에게 공감하고, 나 자신과 소통하는 즐거움을 누릴 수 있습니다.

작가의 손 끝에서 머물렀을, 섬세하고 아름다운 단어를 내 입에 담는 일은 참 신선합니다. 내 목소리에 조용히 귀를 기울이는 시간 자체만도 특별합니다. 우리는 자신에게 그런 기회를 얼마나 허락했을까요? 이 책이 자기 소리를 꺼내고 내면을 들여다보기를 원하는 사람들에게 작은 도움이 되었으면 좋겠습니다.

2018년 가을, 녹음실에서

서혜정·송정희

차례

1장
가끔 서툰 나에게

2장
귀 기울여본다

3장
나에게, 낭독

4장
우리들의 목소리

5장
30일간의 낭독

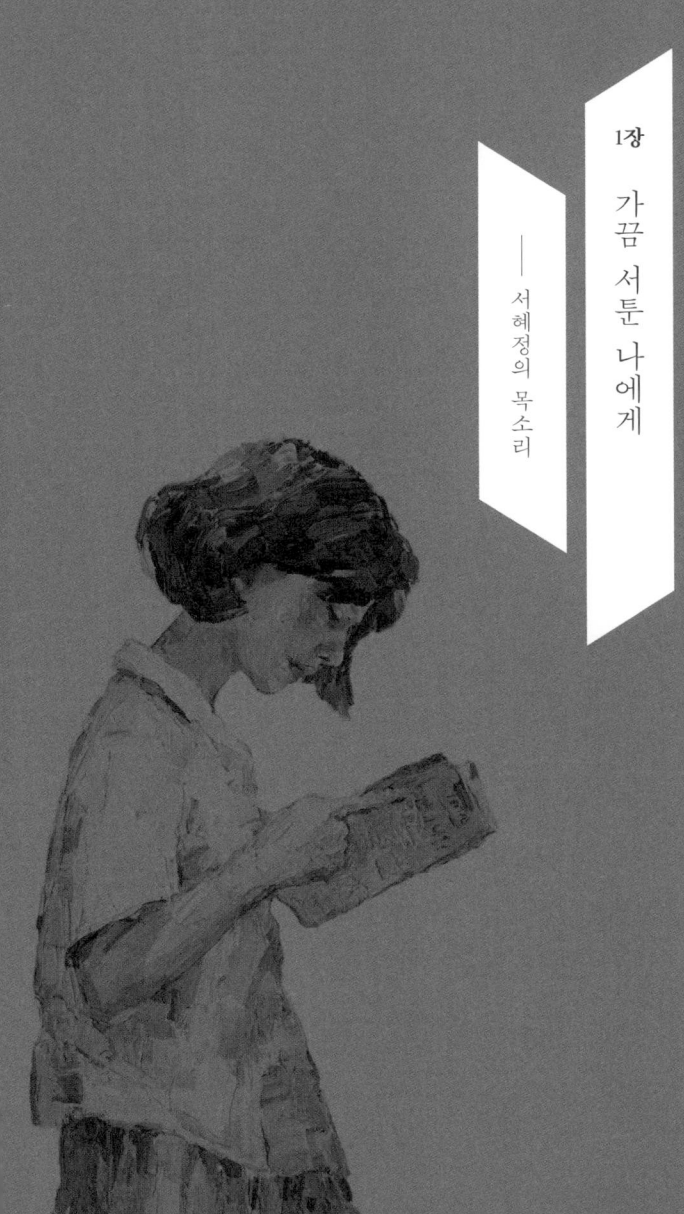

1장

가끔 서툰 나에게

— 서혜정의 목소리

즐
거
운
놀
이

한 소녀가 촛불 아래에 앉아 소리 내어 책을 읽고 있다. 교과서인지 소설인지는 알 수 없지만, 온 신경을 얼굴에 집중한 채 한 글자 한 글자, 한 문장 한 문장 또박또박 소리를 내어 읽어 나간다.

작은 머리로 무엇에 골몰했는지 소녀는 찌푸린 얼굴이었다가 이내 표정이 환하게 밝아진다. 들릴 듯 말 듯 무슨 소리인지 알아들을 수 없던 소녀의 가녀린 목소리도 시간이 지날수록 너풀너풀 춤을 추기 시작한다.

벌써 40여 년 전 일이다. 나의 낭독은 그렇게 시작되

15

었다.

　베이비 붐 세대지만, 나는 형제자매가 있는 친구들과 달리 외동딸로 자랐다. 그 시절엔 동네 골목에서 친구들과 모여 고무줄, 망까기, 땅따먹기하며 뛰어노는 게 할 수 있는 놀이의 전부였다. 이마에 땀이 맺히도록 한참을 뛰어놀다 보면 어느 사이 해는 서쪽으로 넘어가고, "밥 먹어라" 하는 친구 어머니의 목소리가 들리면 그제야 밥때가 되었음을 깨닫곤 했다.

　친구들이 모두 집으로 돌아가면, 혼자 남은 나는 어둠이 짙어지는 골목에 우두커니 서 있다 허전한 마음을 안고 터벅터벅 집으로 돌아오곤 했었는데, 그럴 때면 친구들에게 서운한 마음이 들기도 했다.

　형제자매가 있는 친구들은 저녁 식사가 끝나고 나면, 그때부터 또 다른 놀이가 시작되었다고 한다. 숙제도 하고 공기놀이도 하고 실뜨기도 함께 하며 잘 놀고 다투며 그렇게 지냈다고 한다. 하지만 부모님의 귀가가 늦었던 나는 혼자 먹는 저녁이 익숙했다. 혼자 있는 시간은 무료하고 외롭게 느껴질 때가 많았다.

　툭 하면 전기가 끊기곤 했던 그때는 캄캄한 공간에

홀로 앉아 촛불을 켜고 숙제를 해야 할 경우가 많았는데, 어린 소녀가 감당하기에는 두려운 시간이기도 했다. 천둥 번개라도 치는 날이면 어쩔 줄 몰라 하며 당황해하던 기억도 있다.

전기가 나가고 비바람까지 거세게 부는 어느 날이었다. 창문 틈으로 들리는 귀신 울음 같은 소리에 두려움을 넘어 공포심까지 느껴지던 그때, 왜 그랬는지 지금도 알 수 없지만 숙제를 하던 나는 소리를 내어 책을 읽기 시작했다.

"다 음 중 맞 는 답 을 고 르 시 오 1 번."

창밖의 소리가 무서워, 스스로를 위로하고 싶어서였을까? 쏟아지는 빗소리에 대꾸라도 하듯, 빗소리가 커지면 내 목소리도 커지고, 빗소리가 잦아들면 내 목소리도 작아졌다. 그렇게 소리로 방안을 채워나갔다. 불안에 떨고 있는 마음을 지키고 싶었나 보다.

그 후로 낭독은 나만의 놀이가 되었다. 숙제도 소리 내어 읽으면서 했고, 숙제가 끝나면 책꽂이에 꽂혀 있는 책들을 한 권 한 권 꺼내어 다시 또 소리를 내어 읽기 시작했다. 혼자 저녁을 먹고 나면 자연스럽게 책을 읽었다. 그게 참 재미있었다.

낭독을 시작하니 더 이상 혼자 있는 시간이 외롭게 느껴지지 않았다. 친구들이 모두 집으로 돌아가도 괜찮았다. 오히려 친구들은 놔두고 먼저 집에 돌아와 숙제하며 낭독하는 날이 많아졌다.

원래 나는 소심한 아이였다. 누군가 말을 걸어줘야만 겨우 대답을 하고, '쉬야'를 하고 싶어도 표현을 못 해 한겨울 교실에 앉아 실례를 하고는 얼 것 같은 엉덩이와 후들거리는 다리를 지탱하며 간신히 집으로 돌아오곤 했다.

하지만 혼자서 책을 읽다 보니 조금씩 목소리에 자신감이 생겼다. 처음에는 들릴 듯 말 듯 무슨 소리인지 알아들을 수 없던 여린 목소리였는데, 낭독을 하면 할수록 소리에 힘이 실렸다. 수줍게 내뱉던 한 문장 한 문장에 에너지가 담기기 시작했다. 마치 영화 〈라라랜드〉 주인공처럼, 팔랑이는 원피스를 입고 춤을 추는 것처럼, 나는 낭독 안에서 신나고 자유롭게 춤을 추고 있었다.

내 목소리를 조금은 자랑하고 싶은 어린 마음에 친구들에게 먼저 말도 걸고, 수업 시간에는 번쩍 손을 들고 발표도 하였다. 돌아가며 책을 읽는 시간이면, 내 목소리에 취한 선생님은 다음 학생의 순서를 놓치실 때가 많았고, 친구들도 내 목소리를 더 듣고 싶어 했다.

"에이, 그냥 혜정이가 읽으라고 해요."

그 반응들이 신기하고 뿌듯했다. 한 번은 선생님께서 이렇게 말씀하셨다.

"혜정아, 너 이다음에 성우 한번 해 보려무나."

설레는 이야기였다. 낭독이 한없이 재미있고 혼자서 놀 거리가 없어 즐겼을 뿐인데, 이런 칭찬을 듣는 게 놀라웠다. 그리고 선생님 말씀대로 나는 정말로 성우가 되었다.

천재는 노력하는 사람을 이길 수 없고 노력하는 사람은 즐기는 사람을 이길 수 없다고 한다. 즐기는 사람은 누구를 이기려고 하지 않는다. 그저 재미있으니까 놀 뿐이다. 놀 때는 실수해도 괜찮다. 놀면서 실수하면 모두가 깔깔대며 즐거워한다. 그때의 내가 그랬다. 까르르 웃고 즐거워했으며, 누구와 경쟁하지도 않았고, 자유를 누리며 행복을 만끽했었다.

낭독. 사전적 뜻은 '소리를 내어 읽는 행위'지만 나는

낭독을 '놀이'라고 표현한다. 놀이는 즐기는 것이다. 5
분이건 50분이건 내가 하고 싶을 때 하고, 하기 싫으면
안 하면 그만이다. 앉아서 해도 되고 서서 해도 되고 누
워서 해도 괜찮다.

지금도 나는 약속이 없는 날이면 누워 지내며 여유를
누린다. 누운 상태로 휴식을 취하다가, 꼼지락거리기도
하고, 또 생각이 나면 소리 내어 책을 읽기도 한다. 낭독
하며 뒹굴다가 그대로 잠이 들 때도 있다. 한숨 푹 자고
일어나면 정신도 맑아지고 뭔가를 하고 싶은 의욕도 생
긴다. 함께 뒹굴며 동침했던 책을 펼쳐 들고 누운 자세
에서 다시 낭독을 시작한다. 처음에는 목소리도 잠에서
깨지 않아 둔탁하고 거칠거칠하다. 그런데 그때의 목소
리가 꽤나 매력 있다. 뭔가 게으른 듯하면서도 여유가
느껴지기도 하고, 때론 관능적으로 들리기도 한다.

그렇게 누워서 소리를 내다 보면 어느 순간 편안하고
자유로운 나만의 매력적인 목소리가 만들어진다. 시간
이 지날수록 자신의 목소리에 반하게 될 것이다.

놀면서 하는 낭독이 참 재미있다. 잘하려고 할 필요
없다. 내 마음과 목소리가 흐르는 대로 두면 된다. 낭독
이야말로 그런 것이 아닐까?

치유의 소리

느지막한 오후, 볕이 좋아 창밖을 내다보고 있자니 명동성당이 눈에 들어온다. 문득 성당 지붕을 깨끗이 씻어주고 싶다는 생각을 했다. 하지만 이내, 사람들의 마음을 닦아주는 곳이 성당인데 그곳의 지붕을 어쩌겠다는 자신이 우스워 피식 웃고 말았다.

어디 때가 끼는 곳이 지붕뿐일까? 우리 마음이야말로 닦지 않으면 때가 끼기 마련이다. 마음의 때를 벗지 못하면 기분도 답답해진다. 그래서 사람들이 성당에 가서 고해성사를 하고, 교회에 가서 마음을 씻고 오나 보다.

나에게는 마음을 씻는 방법이 한 가지 더 있다. 바로

낭독이다. 마음이 어지럽고 불편할 때면 책을 꺼내서 소리 내어 읽는데, 그러다 보면 두서없던 마음도 가라앉고 기분도 점차 상쾌해진다.

목소리는 영혼의 울림이다. 목소리에는 나의 감정과 감성까지도 묻어난다. 화가 났을 때, 목소리는 탁하고 차갑게 들리며 호흡도 거칠다. 반대로 편안하고 유쾌할 때의 목소리는 명징해서 멀리까지 곧게 뻗어나가고 호흡도 안정적이다. 내 마음이 어떤지 혼란스럽다면 목소리에 가만히 귀를 기울여보자. 금세 알아차릴 수 있다.

신기하게도 낭독을 하다 보면 목소리가 점차 제 빛을 되찾는다. 글쓴이의 심정을 헤아리며 소리 내어 글을 읽기도 하고, 내가 느끼는 감정을 글에 덧입혀 소곤거려 보노라면 어느새 마음이 고요해지고 차분해진다. 마음이 풀어지면서 목소리도 여유를 찾는가 보다. 머리 위에 어지럽게 휘날리던 생각들이, 내가 내뱉는 소리에 부딪쳐 멀리 날아가버린 것은 아닌가 생각하기도 한다. 아니면 나의 낭독이 내면을 윙윙 울려내어 안 좋은 생각들을 밖으로 몰아낸 것인지도 모른다. 그렇게 여겨질 만큼 충분히 낭독을 하고 나면 마음이 가벼워진다.

학교에서 성우학과 학생들을 가르치면서 깨닫는 것이 있다. 집안 형편이 좋지 않아 아르바이트와 학업을 병행하는 친구들이 있는데, 일이 고단해서인지 수업 시간에 조는 모습을 보이기도 한다. 하지만 낭독을 할 때면 어디서 기운을 되찾는지, 금세 생기 있는 얼굴로 책 속에 빠져들어 열심히 읽어 내려간다. 어쩌면 문장을 온몸으로 받아들이고 표현한다는 것이 맞을 것이다. 그럴 때 보면 어찌나 푸르고 싱그러운지, 사람은 자기가 하고 싶은 일을 하면서 살아야 하는구나 하고 생각하게 된다.

그런데 그 아이들도 첫 학기의 절반이 지나가면 표정이 어두워진다. 지금 이 공부가 내 길이 맞는지 갈등이 시작되는 것이다.

그럴 때면 남학생들에게는 차라리 군대에 일찍 다녀올 것을 권한다. 다양한 관심을 가진 또래들과 섞이게 될 테니 마음이 정리되지 않을까 하는 생각에서다. 그러나 대부분 제대를 하면 다시 학교로 돌아온다. 목소리를 깎고 갈아내는 수고 뒤에 따라오는 낭독의 기쁨을 알기에 그 즐거움을 다시 느끼고 싶어서일 것이다.

여학생들도 몇몇을 제외하고는 해마다 치러지는 성우 시험에서 고배를 마신다. 하지만 쉽게 포기하지 않는다. 일상이 쉽지 않을 때, 마음이 힘들 때 낭독이 주는 위로를 그들은 안다.

낭독을 하면 글이 살아 움직이는 경험을 하게 된다. 자기 목소리를 입히고 본인의 감성을 더해 활자를 입 밖으로 꺼내면 그 글은 이미지가 되어 눈앞에 나타난다. 어느새 형상을 갖춘 글은 내가 뱉는 말의 리듬에 따라 빠르게도, 느리게도 움직이며 자유롭게 유영한다. 황금을 두른 고대 사막의 어느 왕이 내 옆에 기대어 무료하게 즐기도 하고, 푸른 여운이 느껴지는 도심의 치열한 야경이 발 아래 펼쳐지기도 한다. 우리가 앉아 있는 곳은 한정된 공간이지만, 낭독을 하는 순간 우리는 글이 그리는 가상의 공간으로 옮겨가는 것을 느낀다. 그래서일까, 낭독을 경험했던 사람들은 하나같이 말한다. 낭독이 자유를 느끼게 한다고.

나 역시 낭독으로 자유를 느꼈고 마음에 위로를 받았다. 물 먹은 것처럼 마음이 눅눅한 날, 아무도 나를 발견할 수 없는 곳으로 숨고 싶을 때면 나는 낭독의 방을 찾았다. 그곳은 내가 글을 소리 내어 읽기 시작하면 내면에 생겨나는 비밀스런 공간이다. 외부의 자극을 차단하고 나에게만 몰두하는 시간을 보내고 싶을 때, 내 속마음에 말을 걸고 귀를 기울이는 곳이기도 하다.

감수성이 예민했던 어린 시절, 동그마니 앉아 혼자서 집을 지켜야 했던 그때. 나는 마음을 스스로 달래야만 했다.

가난한 동네는 밤늦도록 소음이 멈추지 않는다. 동네 골목에서 고래고래 들려오는 술 취한 아저씨들의 고함소리, 집과 집 사이 방음이 되지 않아 들려오는 부부싸움 소리, 양은그릇 나뒹구는 소리, 세간살이 깨지는 소리, 어른들의 싸움에 놀라 자지러지는 아이들 울음소리.

소리가 무섭고 두렵게 느껴질 때면 나는 책을 꺼내들고 낭독을 시작했다. 수다쟁이 빨간머리 앤과 떠들고, 씩씩한 톰 소여와 페인트칠을 하고, 나처럼 조그맣고 어린 제제와 함께 뽀르뚜가 아저씨를 기다리기도 했다. 그러면 어느새 두려움은 사라지고 글 속에 빠진 나의 밝은 기분만이 남았다. 내 마음 안에 만들어 놓은 낭독의 방에서 자유롭게 놀며 내가 나를 위로한 것이다.

지금도 나는 낭독을 하며 내 안의 상처들을 씻어내곤 한다. 하루에도 숱한 일로 마음을 다치는 우리다. 아니,

내가 어떤 상처를 받았는지조차 모르고 살아갈 때가 많다. 직장이나 학교에서 실수하기도 하고, 나에 대해 함부로 이야기하고 평가하는 사람들 때문에 억울해하고 잠 못 이루는 경우도 있다. 원치 않는 상황 때문에 숨죽여야 하고 내 의견을 내지 못하는 때도 있다. 어릴 때의 나처럼 주변이 너무 시끄럽고 두려워서 도피처가 필요한 사람도 있을 것이다.

모든 상처를 일일이 되짚어가며 치료하기가 어렵다면, 그럴 때 자기 목소리를 내어 낭독을 했으면 좋겠다. 타인의 시선으로부터 방해받지 않고 소리 내어 글을 읽을 수 있는 공간이 있다면 좋겠지만, 그것이 여의치 않다면 주변 소리에 커튼을 치고 나에게만 집중하겠다는 마음을 가져보자. 그리고 기회가 될 때 작게나마 소리를 꺼내보자.

낭독이 아직 어색하고 나와는 상관없는 이야기라고 여겨질 수도 있겠지만, 조금씩 소리 내어 글을 읽는 연습을 하다 보면 낭독하는 재미에 자연스럽게 빠져들 것이다. 일상에서 잃어버린 마음의 조각들이 어느 순간 버겁게 느껴진다면, 낭독으로 치유하면 어떨까 조심스레 권해본다.

가
끔
서
툰
나
에
게

어린 시절, 잠자리에 들 때면 엄마는 머리맡에 앉아 동화책을 읽어주곤 했다. 그러면 나는 모로 방향을 틀어 몸을 둥글게 웅크리고는, 내가 만들 수 있는 가장 편안한 자세를 취하고서 엄마에게 귀를 기울였다. 정확히 어떤 내용이었는지는 잘 기억나지 않는다. 씨앗을 타고 하늘 높이 올라가는 동화였던 것 같기도 하고, 토끼랑 사슴이랑 뛰어노는 동화였던 것 같기도 하다. 엄마의 이야기를 듣다 보면 어느 순간 소리가 아득하게 들려왔고, 그러다 나도 모르게 꿈나라에 빠져들었다. 신기하게도 엄마의 동화를 듣고 있노라면 속상했던 일들이 모두 사라지고, 마음도 편안해졌다. 그때의 꼬맹이에게 엄마의 품은 세상에서 가장 편안하고 안전한 장소였다. 닿을 듯 말 듯 얼굴을 간질이던 엄마의 옷자락과 포근하게 들려오던 목소리가 지금도 그려지는 듯하다.

어른이 된 지금은 더 이상 동화책을 읽어주는 사람이 없다. 따뜻하게 나를 보듬어주는 손길이 필요할 때 나는 누구에게 안길 수 있을까. 내 마음을 매만져주던 엄마의 목소리가 그립지만, 이제는 들을 수 없다.

바쁜 일상을 살아가는 우리에겐 매일매일 작은 위로가 필요할지 모른다. 마음이 불안하고 감정이 요동치는 날도 있고, 시들시들 지쳐 더 이상 아무것도 하고 싶지 않은 날도 있다. 여행을 떠나고 싶지만 상황도 여의치 않아 혼자 시무룩해 하기도 하고, 늦은 밤 일상을 마치고 집에 돌아와 울적하게 앉아 있기도 한다. 한바탕 수다를 떨고 나면 속이 좀 시원할 것 같지만 주위를 둘러보면 아무도 없다. 또 막상 친구를 만나서 이런저런 고민을 꺼내도 마음을 이해하지 못하는 것 같아 답답한 마음이 들기도 한다. 위로를 받아도 마음은 빈 것만 같다.

나는 마음이 지칠 때면 소리를 내어 나에게 이야기를 들려준다. 시를 펼치기도 하고, 짧막한 동화책을 꺼내기도 하고, 소설을 읽으며 주인공의 심정을 뱉어보기도 한다. 낭독을 하면 자연스럽게 마음에 소리가 스며든다. 거칠고 메말랐던 마음 바닥에 소리가 빗물처럼 한 방울 두 방울 떨어지기 시작하면 굳었던 마음밭이 물기를 머금는다. 계속 이야기를 들려주면 소리가 차오르고 어느덧 마음밭에는 샘이 고인다. 곤했던 마음은 힘을 얻고 활기를 찾는다.

많은 사람들이 낭독이 주는 위로를 경험했으면 좋겠다. 잠들기 전에 책을 소리 내어 읽어보면 어떨까? 잠자리에 누워 책을 꺼내 들고 나직이 뱉어보면 된다. 팔이 아프면 옆으로 누워서 읽어도 좋다. 평소 읽고 싶던 책도 좋고 자기가 쓴 글이어도 괜찮다. 글을 읽으며 잠에 빠졌다가 다음 날 한번 자신의 마음을 점검해보자. 나는 마치, 하늘나라에 있는 엄마가 내 잠자리에 내려와 옛날이야기를 해주고 간 것만 같았다.

어떤 특별한 훈련이 이런 체험을 만드는 것은 아니다. 그저 낭독으로 마음에 소리를 들려주면 자연스럽게 겪게 되는 현상이다. 의지할 곳 없어 외로울 때, 모든 것이 막막하고 두려울 때, 입술을 열어 작은 목소리로 낭독을 시작한다면 내 안에서 피어오르는 따뜻한 기운을 느낄 수 있을 것이다.

나를 사랑하는 시간

자기 목소리를 있는 그대로 받아들이지 못하는 사람들을 많이 본다. 특히나 녹음된 음성을 들으면 부끄러움에 몸을 떨며 얼굴을 가리기도 하고 귀를 막고 악 하며 소리를 지르기도 한다. 마치 다른 사람 목소리 같다고도 하고, "내가 말을 이렇게 하고 산다고요?" 하며 온몸이 꼬이고 닭살이 돋는다는 반응도 있다.

목소리에 큰 자부심을 느끼는 사람이 아니고서야 대부분 그럴 것이다. 기계로 변환된 음질 탓에 실제 목소리와 조금 다르게 들릴 수는 있겠지만, 무엇보다도 가장 큰 이유는 자기 목소리를 온전히 들어볼 기회가 없었기 때문이다.

우리는 너무나 많은 소리 속에서 살아간다. TV, 핸드폰, 게임, 음악…. 오히려 남의 목소리가 익숙하고 가깝다. 하지만 내 목소리는 특별히 신경을 쓰지 않으면 들을 기회가 없다. 그러니 생경한 것도 당연하다.

나는 낭독을 '자신과 만나는 시간'이라 표현한다. 낭독을 하면 자연스럽게 자기 목소리에 귀를 기울이게 된다. 내가 나와 마주앉아 이야기를 들어주는 시간이 길어지면 그동안 힘들었던 마음을 비로소 한 번 바라보게 된다. 아문 줄로만 알았던 생채기가 드러나 눈물을 떨굴 때도 있다. 그래도 괜찮다. 일부러 막아두고 듣지 않으려 했던 나의 목소리가 무슨 말을 하는지 스스로 받아들이고 싶을 때, 조금씩 마음에도, 소리에도 변화가 생긴다.

책 한 페이지를 읽는 것부터 시작하면 어떨까? 한 번에 많은 것을 바꾸기는 어렵다. 처음엔 웃음이 날 것이다. 그래도 내 목소리는 내면에서 그 깊이를 끌어내는 힘이 있다. 서툰 목소리는 나도 모르는 사이에 조금씩 귀로, 마음으로 스며들어와 숨어 있던 감성을 깨우고 말랑말랑하게 만든다. 그러다 어느 순간, 마음속에서 작은 기쁨이 고개를 드는 것이 느껴질 것이다. 표현이 어색하기만 했던 나의 마음도 원래의 자리를 찾는다. 내 목소리와 친구가 된 듯한 느낌에, 자꾸 소리 내어 글을 읽고 싶어진다. 낭독을 하며 내 소리를 꺼내는 게 점점 더 재미있고, 훌쩍 능청스러워진 내 모습을 발견하기도 한다. "나, 꽤 괜찮구나" 하고 뇌어보는 내 목소리도 매력적으로 다가온다. 나를 인정하고 받아들이는 과정을 한 단계 이루었기 때문이다.

낭독 강좌의 수강생들은 한 분 한 분 저마다의 삶의 궤적이 있다.

억양이 거센 경상도 사투리를 유독 부끄러워하던 학생이 기억난다. '절거운 엄악(즐거운 음악)'이라는 구절을 읽으며 붉어진 얼굴로 눈을 질끈 감아버리던 표정이 생생하다. 시간을 갖고 낭독을 하며 천천히 귀를 열고, 나의 목소리를 관찰하고, 감정을 알아차리고, 더 나아가 마음을 열며 그분은 마침내 목소리에 애정을 가지게 되었고 나중에는 사투리마저 당당하게 구사하셨다. 같은 문장이어도 표준어와 사투리는 그 느낌이 확연히 다르다. "갱상도에 오신 하느님은 이래 말씀하시는기라

예"라며 김동인의 장편을 낭독하던 억양이 얼마나 귀하고 정답게 들리던지.

평소엔 말이 거의 없고, 꼭 필요할 때에만 손으로 입을 가리고 말씀하시던 어머니 학생도 있었다. 그 대화의 내용조차도 처음엔 "저는 괜찮아요, 신경쓰지 마세요"였던 분이다. 어릴 때에는 엄격한 아버지 밑에서, 성인이 된 후에는 가부장적인 남편과 살아온 탓이 아닌가, 하고 자문하시던 이 분은 마지막 수업에서 "말을 하고 사니까 이렇게 속이 후련하구나"라며 소회를 밝히셨다. 더듬더듬 읽는 것부터 시작해서 주인공의 입을 빌려 나의 기분을 그 위에 얹어도 보고, 그러다 결국 작고 느리지만 온전한 자기 이야기를 꺼내게 된 것이다. 마음이 움츠러들었던 기간이 길수록 내 소리를 되찾는 데에도 시간이 필요하다. 그러나 나를 받아들이고자 한다면, 걸고 지내던 마음의 빗장은 언제라도 반드시 열린다.

그 시작은 입을 열어 소리를 내는 것이다. 자기 목소리를 듣고, 마음의 흔들림을 가만히 지켜보아 주자. 호흡이 가늘게 떨리고 있는지, 가슴 안에 새 떼가 퍼덕이는 듯한지, 무엇을 두려워하고 있는지. 소리에서 오는 감정을 그것 그대로 느껴보았으면 한다. 하루 중, 낭독하는 시간만큼은 자기를 돌보는 시간이라고 생각하자. 나와 책과 시간만 허락한다면 낭독을 통해 자신과 다시 만날 수 있다.

마
음
에
서

마
음
으
로

"말을 잘하고 싶어요." 자주 듣는 고민이다.

우리는 사람 사이에서 살아간다. 그러니 매력 있는 언변으로 분위기를 부드럽게 이끄는 것은 누구나 부러워할 만한 장면이다. 대화를 주거니 받거니 이어가지 못해 진땀만 빼고 있거나, 내 마음은 그게 아니었는데 잘못 엎지른 말을 주워담지도 못하고 오해를 산 경험이 있다면 더욱 그럴 것이다. 주목을 받으면 심장이 턱 내려앉으며 떨리기 시작하는 사람조차도, 허물없이 불러낼 수 있는 친구 앞에서는 철 지난 이야기를 마치 오늘 일처럼 술술 풀어낸다. 그러나 한 해 두 해 나이를 먹으며 예의를 차리는 자리가 늘어나고, 예기치 못한 상황에서 처음 얼굴을 보는 이와 장시간 함께해야 하는 경우는 더 많아진다. 서로 데면데면한 상태에서 시계만 재촉하는 모습이 그려진다. 공백을 못 견뎌 이 말 저 말 한껏 쏟아내고선 집에 돌아오는 길에는 이젠 입 좀 닫고 살아야겠다며 후회하기도 한다. 말은 모자라도, 넘쳐도 스스로 부끄럽다.

좋아하는 것은 잘하게 된다. 말도 마찬가지다. 재미있는 자리라면, 다시 말해 내 이야기를 하고 남을 알아가는 것이 기껍다면 다른 생각이 끼어들 틈 없이 대화에 빠져들 수 있을 것이다.

이런 고민에 조언을 하는 나로서도 사실 정확한 답은 없다. 직업 덕에 달변이라는 오해를 받지만 조금만 따져봐도 나는 정작 말을 유창하게 쏟아내는 사람은 아니다. 다만 낯선 대화에 잘 몰입해서 토막나지 않게 이어나가는 원동력이 있다면 그것은 경청과 공감이다.

사실 상대방의 말을 정성스레 들어주는 것이 그리 쉽지만은 않다. 지루한 속마음을 들키면 안 되는 걸 알아서 입꼬리를 당기며 웃고 리액션도 해보지만 텅 빈 눈빛은 속일 수 없다. 하지만 낭독으로 훈련된 사람은 쉽게 상대방의 이야기에 관심을 갖는다. 그것이 진부하고 흔한 서사일지라도 기승전결 중 어디쯤에 있을지, 다음 이야기는 어떻게 전개될지 예측하며 듣는 습관이 생기기 때문이다. 누군가 이야기를 시작하면 마치 암전된 상태에서 공연을 보는 듯한 느낌을 받기도 한다. 대사를 시작하는 배우에게만 핀 조명이 떨어지는 것처럼 귀가 열린 채로 화자에게 자연스레 집중이 된다. 낭독은 잘 듣고, 들은 내용을 이해하고, 계속되는 이야기를 따라갈 수 있도록 돕는다.

상황이 충분히 이해되고 다음 이야기가 궁금해졌을 때여야만 진실된 반응이 이어진다. 이때 말을 길게 이어나가지 않아도 좋다. 말주변이 없어 단어가 부족하더라도 그를 나무랄 사람은 없다. 언어를 이긴 눈빛이, 몸짓이 상대에게 전달되어 대화를 만들어나가는 것이다.

"내 이름 백화가 아니에요. 본명은요….
이점례예요."

〈삼포 가는 길〉, 백화의 마지막 대사다. 소리 내어 읽어보면 담담한 여백에서 백화의 마음이 성큼 다가온다. 그녀의 눈은 웃었을까, 울었을까. 낭독으로 내가 다른 사람이 되어, 감정을 잠시 맞대어본다. 공감의 언어로 호응하며 다른 이의 말을 경청할 때 우리들의 말은 더 깊고 풍성해질 것이다. 그런 대화는 마음에서 마음으로 이어져 사랑이 되고 울림이 된다.

낭독으로 좋아지는 목소리

그동안 다양한 목소리를 연기하며 살아왔다. "멀더, 지금 어디예요?" 들으면 누구나 기억할 법한 이 목소리는 〈X-파일〉에서 스컬리 역을 맡아서 한 대사다. 덕분에 많은 사랑을 받았고, 나도 연기를 할 수 있어 감사했다. 거칠고 웃긴 대사를 기계처럼 내뱉어서 화제가 된 적도 있다. 바로 코미디 프로그램 〈남녀탐구생활〉의 내레이션이다. "여자, 다크서클로 줄넘기를 해요, 개념을 밥 말아 먹었어요, 이런 된장! 쌈장! 고추장!" 정말 친한 친구들 사이에서나 쓸 법한 말들을 대사로 옮기는 것이 웃겨 배꼽을 잡고 깔깔댔던 기억이 난다. 그 외에도 화장품 CF에선 '산소 같은 여자' 카피를, 〈베르사이유의 장미〉에선 오스칼을, 〈앤트맨과 와스프〉에선 미셸파이퍼 역할을, 외화 더빙에선 줄리엣 비노쉬 역할을 전담하며 다양한 소리를 냈고 과분한 사랑을 받았다.

어느 것 하나 애정 없는 캐릭터가 없다. 연기한 목소리는 전부 달랐지만, 모두 내가 가진 목소리이기도 하다. 연기의 스펙트럼을 넓히기 위해 캐릭터를 연구하기도 했고, 마치 진짜 그 사람이 된 것 같은 심정으로 소리를 꺼내기도 했다. 성우인 나는 '목소리의 색깔'이라고도 표현하는 느낌을 많이 강조한다. 목소리에 느낌이 있어야 캐릭터에 어울리는 소리를 낼 수 있기 때문이다. 물론 목소리 자체가 좋으면 금상첨화다.

그렇다면 좋은 목소리는 어떻게 만들어지는 것일까? 많은 사람들이 나에게, "서혜정, 목소리 하나는 타고났지"라고 말한다. 나는 내 직업을 사랑하고, 내가 받은 최고의 달란트가 목소리라고 생각한다. 하지만 타고난 것만이 지금의 소리를 만든 것은 아니다. 어렸을 적부터 꾸준히 낭독을 했던 것이 도움이 되기도 했고, 성우가 되기까지 그리고 성우가 된 이후에도 좋은 소리를 내기 위해 많은 노력을 했다.

선천적으로 좋은 목소리를 내는 사람이 있는가 하면, 성대도 약하고 언어 습관도 안 좋아서 목소리가 나쁜 사람도 있다. 태어날 때부터 목소리가 좋지 않다면, 평생을 그대로 살아가야 할까? 그렇지 않다. 훈련을 통해 잠자고 있는 소리를 깨워 더 좋게 만들 수 있다. 직업상 빠른 시간 안에 좋은 목소리를 만들어야 한다면 전문가를 찾아가 집중 훈련을 받는 것도 나쁘지 않다. 그러나 일상에서 취미로 연습하며 목소리에 윤기를 더하고 싶다면 낭독만큼 좋은 것이 없다.

발음이나 발성이 좋지 않다고 생각하는 사람도, 꾸준히 낭독을 하면 이전보다 소리가 더 좋아진다. 낭독을 하면 음의 높낮이, 발음, 울림을 감지하게 되고, 더 좋게 소리를 내고 싶은 마음에 여러모로 다양한 시도를 하게 된다. 그런 단계를 거치며 조금씩 발음이 좋아지고 목소리에도 힘이 생긴다.

목소리의 느낌에도 변화가 나타난다. 낭독을 하면 어떻게 해야 글쓴이의 마음을 진솔하게 전할 수 있을지 고민하게 되는데, 그 과정에서 소리에 감정과 정서를 싣는 법을 자연스럽게 배운다.

또한 낭독은 말을 허투루 뱉지 않도록 도와준다. 글

자와 단어 하나하나에 의미를 실어 소리를 내다 보면, 내뱉는 말이 어떤 뜻을 가지는지 생각할 기회를 갖는다. 글쓴이의 의도가 명확한 글은 문장과 문단이 구실에 맞게 배치되어 있고, 단어도 마구잡이식으로 실리지 않는다. 이런 글을 낭독하면 문장의 배치가 머릿속에 그려지고 생경한 단어도 입에 담는 기회를 가지게 된다. 언어 습관도 영향을 받아, 평상시 말을 할 때도 소리가 의미 없이 뱉어지거나 허공에 사라지지는 않는지 관심을 갖게 된다.

목소리에 관심이 많은 사람이라면 녹음해서 자기 소리를 들어보는 것이 좋다. 그러면 객관적으로 자신을 바라볼 수 있다. 본인의 말투, 어감, 빠르기 등을 확인하고, 어디가 부족한지 스스로 점검하면서, 점차 좋은 소리 내는 법을 깨치게 될 것이다. 첫날과 일주일·보름·한 달 후에 녹음한 것을 비교해서 들어보면 어떤 변화가 있었는지 바로 알아챌 수 있다. 위에서 말한 발음과 발성, 소리의 느낌, 언어 습관이 어떻게 달라졌는지 확인하면서 들으면 더 구체적으로 소리의 모양새가 보일 것이다.

그렇게 소리를 가다듬다 보면, 어느 순간 자기 목소리가 꽤 괜찮다고 느껴지는 날이 찾아온다. 나만의 톤과 개성이 담긴 목소리가 매력이 있다고 느낄 것이다. 굳이 다른 사람과 비교할 필요 없는 나만의 멋진 목소리를, 낭독을 하며 발견할 수 있을 것이다.

누우면 들리는 소리

여러 장에 걸쳐 낭독은 어려울 것도, 특별할 것도 없다고 강조해 왔다. 그래서인지 나는 누워서 낭독하기를 즐긴다. 누워서 책을 읽노라면 편하기도 하고, 몸이 소리 내는 법을 자연스럽게 깨친다는 장점도 있다. 자기 목소리 고유의 색을 찾고 소리에 공명을 싣고 싶은 사람에게도 도움이 될 것이다.

사람은 보통 누워서는 소리를 잘 지르지 않는다. 굳었던 몸이 이완되고 마음이 안정되는 탓이다. 서 있을 때엔 가슴에 머물러 있던 호흡도 저절로 배까지 확장된다. 배와 가슴이 함께 불룩불룩 움직이며 의도하지 않아도 복식호흡을 하게 된다. 몸통의 깊은 곳까지 들고 나는 호흡은, 그렇지 않을 때보다 깊고 길어서 소리를 멀리까지 이끌고 간다.

가장 좋아하는 자리에 누워서, 다음 글을 소리 내어 읽어보자.

꿈을 버리지만 않는다면 누구나 다 무엇이 될 수 있다는 것을 깨닫고 난 지금, 나는 하루하루의 삶이 다 맛있고 신난다.

소리가 시작되는 위치가 달라졌으니, 누워서 낭독하면 목소리가 조금 낮아졌다고 느껴질 수 있다. 계속 소리를 내며 내 목소리가 몸의 어디서부터 시작되어 어떻게 흘러가는지 잠시 지켜보자. 누우면 어림잡아 내 몸의 절반은 바닥에 닿는다. 그만큼 울림도 많이 전해진다. 움직임을 느끼기 좋은 상태가 된다. 입술과 턱은 어디까지 벌어지는지 꼼지락대며 얼굴에 손을 올려 확인해보아도 좋다. 이번엔 잠시 책을 내려놓고 눈을 감은 채로 몸에서 일어나는 변화를 조용히 관찰해보자. 쿵쿵

울리는 심장 박동은 또 어떤가. 숨을 깊이 들이마시고 내쉬기도 해보자. 얼굴 주변을 흐르는 공기의 덩어리는 코를 지나 어떤 길로 향하는지, 갈비뼈는 얼마만큼 부풀다 제 자리를 찾는지….

누웠던 몸을 일으켜 앉아서 낭독을 해보면, 자세는 달라졌지만 누워서 낭독했을 때의 소리가 유지되는 것을 알 수 있다. 내 몸과 귀가 아까의 소리를 기억했다가 그 방법대로 움직이기 때문이다.

직접 연습해보면 바로 느낄 수 있다. 복잡하게 신경 쓰며 낭독하지 않아도 되고, 정자세를 쭉 유지하지 않아도 된다. 나는 누워서 소리 내어 읽다가 힘이 들면 묵독을 하고, 다시 힘이 생기면 낭독하기를 반복한다. 책을 들고 읽다 보면 팔이 아프고 저리는데, 그러면 옆으로 돌아눕기도 한다. 최대한 편안한 느낌이 이어지도록 자세를 바꿔가는 것이다. 잠자리에 들어 낭독할 때면 내 호흡에 따라 얇은 홑청이 너풀거려 얼굴에 진동을 전달할 때도 있다. 내가 뱉는 호흡을 피부로 느끼는 것도 색다른 재미다. 자세마다 내가 만들어내는 울림과 소리가 달라지고 여러모로 느껴지는 것이 신기할 따름이다.

누워서 낭독하기를 꼭 잠자기 전에만 할 이유는 없다. 일을 마치고 집에 돌아와 쉴 때, 잘 닦여 정갈해진 마루를 바라볼 때, 눕고 싶은 마음이 인다면 언제든지 좋다. 그냥 쉬어도 좋지만, 낭독을 해보고 싶은 사람이라면 그때 책을 꺼내 들고 소리 내어 읽으면 된다. 편히 누운 채로 하루의 긴장을 걷어내면, 느슨하게 풀려 평온한 마음에서 나오는 소리의 울림을 느낄 수 있을 것이다.

걷
고,
읽
고,
웃
고

부산교육청 강좌 때의 일이다. 100여 명의 참가자가 넓은 강의실을 가득 메우고 있었다. 아, 이 많은 분들에게 어떻게 낭독을 전하지? 나에게 주어진 시간은 단 120분.

그때 선택했던 것이 '걸으며 낭독하기'다. 짧은 시간에 모든 분들께 낭독의 맛을 알려드리기에 효과적이었고, 지금도 자주 애용하는 방법이다. 모두 일어서서 둥글게 원을 만들고 강의실을 천천히 걸어보라고 권했다. 그리고 다같이 걷는 상태에서 소리를 뱉고 문장을 읽는 수업을 진행했다. 수년간 낭독 수업을 하다 보면 참가자가 잘 받아들이는지, 얼만큼 이해하는지 느낄 수 있는데 그날은 평소보다 훨씬 빠르게 탄력이 붙는 것이 보였다.

걷다 보면 긴장감이 해소되기 때문일 수도 있다. 하지만 그뿐만은 아니다. 걸으며 소리를 뱉으면 자연스럽게 몸이 리듬을 찾고 호흡도 여유를 갖는다. '걸으며 낭독하기'는 몸이 기억하는 낭독 연습의 일환이다.

걸으며 낭독을 하면 내가 읽는 글에 따라 발걸음이 빨라지기도, 느려지기도 한다. 어떨 땐 잠시 멈춰 서서 글의 내용을 되새겨보기도 한다. 움직이는 몸은 소리와 조응하며 서로 호흡을 맞춰간다. 소리에 리듬이 생기고, 강약과 고저가 생긴다. 줄줄줄 국어책 읽듯이 낭독하던 사람도 한결 자연스러운 소리를 찾게 된다.

글자 하나 하나에 집중하느라 경직되었던 몸에 리듬이 배어들면 살짝 긴장했던 마음에도 여유가 생긴다. 앞으로만 치달렸던 낭독에도 잠시 침묵이 찾아든다. 그러면 침묵하는 행간이 어색하게 느껴지지 않는다.

걸으며 낭독하는 것은 쉽다. 내 방에서, 긴 복도에서, 아무도 없는 강의실에서 책을 들고 가볍게 한 걸음 디

며보자. 글의 내용을 생각하면서 발걸음을 떼어보자. 내딛는 첫걸음에 맞춰 단어의 첫마디를 강하게 뱉어보기도 하고, 보폭에 맞춰 문장을 느리게, 빠르게 읽어보기도 하자. 또박또박 꼼꼼히 읽어야만 할 것 같은 강박에서 벗어나, 걷는 속도에 맞춰 글을 읽는 자신을 발견하게 될 것이다. 힘들면 잠시 앉아서 낭독을 할 수도 있다. 그러면, 걸으며 낭독했던 리듬감과 호흡을 여전히 유지하고 있는 자신을 깨닫게 된다. 내 몸이 감각을 기억하고 있기 때문이다.

길을 걸으며 낭독을 해도 좋다. 좋아하는 시나 노래 가사가 떠오른다면 물기가 묻어나는 연초록 나뭇잎을 한 번, 높은 하늘을 한 번 바라보며 웃음 섞어 소리를 꺼내봐도 좋겠다. 낭독하며 주위를 둘러보면 뛰어노는 아이들 소리, 익숙한 풀 내음마저도 사뭇 새롭게 다가온다. 나의 오감이 깨어나면 내 안에서 나오는 목소리도 더욱 생동감 있게 들린다.

미세먼지 걷힌 식목일, 반려견과 함께 멀리 산책을 나섰다가 입가에 웃음이 걸렸다. 우리 집 흑돌이는 늘 목줄이 팽팽하도록 다리를 재게 놀리는데, 그 바람에 펄럭대는 귀가 꼭 나비 같아서 '나비야, 나비야' 하는 동요가 절로 흘러나왔던 것이다. 내 노랫소리에는 들뜬 나의 기분도 실린다. 가락이 머리 위를 맴돌다가 다시 내 귀에 스민다. 이번엔 목줄을 잡지 않은 팔도 신나게 흔들어본다. 긴 그림자가 우줄대니, 앞서가던 흑돌이가 무슨 일인가 싶어 걷다 말고 나를 갸우뚱 돌아다본다. 북실북실한 털 사이에 호선을 그리는 붉은 입과 반질대는 코가 보인다. '흑돌아, 흑돌아, 이리 날아오너라' 나는 나비 대신 반려견 이름을 넣어 가사를 읊는다. 사진으로 기록을 남기듯, 그날의 모든 풍경과 향과 소리가 잊지 못할 아름다운 한 장으로 마음에 남아 있다.

걸으며 낭독하기는 조금은 가볍게, 부담 없이 낭독에 접근할 수 있는 방법이다. 책을 꺼내들기가 쑥스럽다면 스마트폰에서 글을 찾아도 좋고 머리에 떠오르는 구절을 암송해도 된다. 오감이 깨어나는 낭독 놀이가 일상에 가까이 있다.

쉼
이
있
는

낭
독

    종종 콧노래를 흥얼거릴 때가 있다. 가볍게 시작했는데 재미를 느껴 본격적으로 흥얼거리다 보면 코 주위에 잔잔한 진동이 느껴지고 입술에 파장이 생기기도 한다. 그럴 때 코가 건강해진다. 축농증이나 비염으로 고생하는 사람들은 병세가 호전되기도 한단다. 작은 진동만으로도 감각이 깨어난다고 볼 수 있다.

    집중해서 낭독을 할 때면 향기가 체감되기도 한다. 새콤한 레몬을 표현한 글을 읽다 보면 나도 모르게 입 안에 침이 고이고 향이 느껴진다. 또 벌레를 표현한 글을 읽으면 스멀스멀한 느낌이 들며 몸속이 근질거리기도 한다. 글의 내용이 착각을 일으킬 정도로 마치 실제 상황인 것처럼 머릿속에 떠오를 때도 있다.

하지만 어떤 때는 낭독을 해도 별 감흥이 없고 감각도 둔탁하게 느껴진다. 휴식이 필요한 순간이다. 악보에도 쉼표가 있고 우리 인생에도 쉬어가는 시간이 있듯이, 낭독을 할 때도 휴식이 필요하다. 안식할 때 모든 감각들은 불필요한 것들을 털어내고, 다시 새롭게 깨어난다. 악기가 빈 공간을 울려 아름다운 소리를 만들어내듯, 우리의 몸과 마음도 여백이 있어야 공명을 만들어낼 수 있다.

요사이 쉬면서 몸과 마음을 비워내는 시간을 가졌다. 예전부터 기회가 되면 금식을 해보리라 생각했는데 마침 그럴 수 있는 상황이 주어졌다. 3일 금식을 하는 동안 신기한 체험을 했다. 몸과 마음이 가벼워지고 감각도 세밀하게 살아났다. 별거 아니라고 여기던 사소한 거짓말도 무겁게 느껴지고, 마음에 품었던 안 좋은 생각들도 깨달아졌다. 안을 비우는 동안 마음의 감각들이 본래의 자리를 찾아가는 것만 같았다.

금식 후 식사를 하니 미각도 더 예민해졌다. 음식에서 느껴지는 단맛, 짠맛, 신맛, 매운맛이 섬세하게 살아났다. 그동안 얼마나 내 혀가 자극적인 맛에 취해 있었는지 알 수 있었다.

쉬고 비워내니 모든 것이 다 새로웠다. 글에서 전해지는 향과 맛도 더 향긋하고 생생하게 다가왔다.

오해하지 않았으면 한다. 금식을 하고 낭독을 하라는 말이 아니다. 낭독이 예전 같지 않고 감각이 무뎌진 것 같다면 휴식이 필요하다는 말을 하고 싶어서 꺼낸 이야기다. 낭독하는 재미에 탄력이 붙었다면 계속해서 즐기면 된다. 만약 텍스트를 읽어도 별 감흥이 없고 그저 글자들의 덩어리라고 생각된다면 책장을 덮어도 좋다. 쉬고 나면 마음에 여유가 찾아온다. 텍스트를 다시 받아들이고 싶은 마음도 생긴다. 그때 다시 책을 읽으면 된다. 억지로 무리해서 하지 말자. 무엇을 얻고자 하는 마음으로 하면 부담이 찾아올 수 있다.

소리 내는 일이 직업인지라 오랫동안 낭독을 하며 살아왔다. 일상에서 생긴 상처나 스트레스를 글을 읽으며 풀기도 했다. 자연스럽게 낭독이 가진 힘을 알게 되었고, 강좌와 모임에서 그 유익을 알렸다. 실제로 소리 내어 글을 읽으면서 마음이 치유되고 내면이 좋아졌다는 사람들도 많이 보았다. 그래서 더 많은 사람들이 낭독을 하길 바라고 소리 내는 즐거움을 알았으면 한다. 하지만 그렇다고 그것이 일이나 부담으로 여겨지는 것은 원치 않는다. 휴식이 있는 낭독이었으면 한다.

한두 번 낭독을 한다고 해서 내면이 회복되거나 기쁨이 넘쳐나지는 않을 것이다. 글을 읽으며 진지하게 텍스트에 머무는 시간이 필요할 수도 있고, 때론 아무 생각 없이 소리 내어 글을 읽는 시간이 필요할 수도 있다. 그 모든 과정을 단기간에 끝낼 수는 없다. 그래서 휴식을 가지며 낭독을 했으면 좋겠다. 지치면 쉬어가면 된다. 나 역시 글을 읽다가 글맛이 느껴지지 않고, 감동이 오지 않으면 잠시 책을 내려놓고 휴식을 취한다. 한숨 잠을 청하기도 한다. 그래야 놀이인 낭독을 더 오래 즐길 수 있다.

즐거운 상상을 해본다. TV를 보며 쉬다가, 퇴근 후 무엇을 할까 고민하다가, 집안일을 끝내고 소파에 누워 있다가, 가만히 책을 꺼내 들고 나직이 소리를 뱉는 사람들의 모습을 그려본다. 그렇게 많은 사람들의 일상에 낭독이 가까이 있었으면 좋겠다.

2장

귀 기울여본다

—— 송정희의 목소리

삶이 묻어나는 소리

　저는 성우로서 자질이 없다고 여겼어요. 정식으로 무슨 교육을 받은 것도 아니고, 연극을 하다가 성우 세계에 발을 들여놓았는데, 모르는 것도 너무 많고 기본이 안 돼 있었어요. 다른 선배들은 너무 잘하고 날아다니는 것 같은데, 저는 제가 마치 아기처럼 느껴졌어요. 받침도 안돼서 뭉개서 소리를 내고 목소리도 탁하고 거칠었어요. 지금은 많이 부드러워졌지만, 그때는 소리가 너무 안 좋았어요. 굉장히 허스키하기도 했고요.

　그래서 한 선배에게 고민을 털어놓았어요. 다른 선배들을 보면 목소리도 발음도 너무 좋은데, 나는 그렇지

못하니 성우로서 자질이 없는 것 같고, 그래서 그만둬
야 할 것 같다고요. 그때 그 선배가 이렇게 말했어요.

"정희야, 너 그런 휘황찬란한 선배들이 네가 가진 열
정과 신선함으로 목소리를 낼 수 있을 것 같니? 그들은
못 해. 오히려 그 사람들은 너의 감성이 부러울 거다. 그
러니 그냥 밀고 나가."

저는 그때 조금 깨달았어요. 어떻게 목소리를 내야
하는지요. 남과 비교하지 않고, 내 목소리를 꺼내면 된
다는 걸 알았어요. 사람마다 얼굴이 다 다르듯 목소리
도 개성이 다 다르잖아요. 자신감을 가지고, 내가 가진
소리를 최대한 살리면서 나만의 목소리를 찾아야겠다
고 생각했어요.

연극배우에서 성우로 성장한 나 송정희의 고백이다.

나는 서혜정 선배와 함께 전국을 돌아다니면서 낭독
강의를 했다. 강의 현장에서 많은 분들을 만났고 그분
들의 목소리를 들었다. 이미 소리 내는 법을 알고 발성
도 좋아 큰 소리로 낭독하는 분이 계신가 하면, 발성이
약해 조용조용한 목소리로 낭독하는 분도 계셨다. 또박
또박한 발음으로 글을 읽는 분이 계신가 하면, 발음이

안 좋아 띄엄띄엄 읽는 분도 계셨다.

 그분들의 낭독을 들으며 이런 생각을 했다. 꼭 목소리가 좋다고 해서 좋게 들리는 것도 아니고, 나쁘다고 해서 안 좋게 들리는 것도 아니구나. 정말 그렇다. 어떤 분은 아주 작은 목소리로 더듬더듬하며 겨우겨우 한 문단을 이끌어가신다. 그분이 낭독할 때면 같은 자리에 있는 모두가 그분에게 집중하고 마음을 졸이며 듣는다. 그런데 그렇게 조마조마한 마음으로 듣는 낭독도, 다 듣고 나면 그분만의 느낌이 전해져서 참 좋았다고들 말한다. 큰 목소리와 유창한 발음으로 한 낭독도 좋지만, 소리가 작고 발음이 나빠도 텍스트와 낭독자가 하나가 되어 느낌을 잘 전달해주면 거기에서 오는 감동이 있다. 때론 그런 낭독이 더 깊이 마음에 들어오기도 한다.

 목소리에 낭독하는 사람이 꾸밈없이 드러나면 소리를 듣는 맛이 있다. 그가 지나온 삶, 그만의 개성과 정서가 담긴 소리는 듣는 이를 집중시킨다. 그러니 낭독을 할 땐 목소리에 인위적인 꾸밈을 걷어내고 솔직하게 자신을 드러내는 게 좋다. 목소리 자체에 집중하기보단 자기가 가진 감성을 소리에 실으면 된다. 사춘기 소녀가 내는 소리에는 소녀만의 풋풋한 감성이 실린다. 이

제 막 사회에 발을 디딘 20대 청년의 목소리엔 젊은이 특유의 패기가 담긴다. 퉁퉁한 몸을 지닌 50대 아주머니의 목소리에선 정겨운 활력이 느껴진다. 자식 다 키우고, 부모 마음도 알고, 아픔도 겪은 아버지의 목소리에선 지난했던 삶의 흔적을 느낄 수 있다. 이처럼 소리에는 말하는 이의 삶이 담긴다.

　나는 삶이 묻어나는 소리가 최고라고 말한다. 사투리가 나오면 나오는 대로 낭독을 하면 된다. 사투리를 들으면 어떤 지역에서 자랐고 어느 고장에서 음식을 먹고 했을 그만의 정서를 느낄 수 있다. 조곤조곤한 전라도 말을 들으면 담양의 대나무숲 향기가 전해질 것만 같고, 정겨운 부산 말을 들으면 비릿하고 짭조름한 바닷바람이 푸르게 풍겨올 것만 같다. 소슬한 밤 저 멀리 반짝이는 등대 불빛, 사락사락 눈이 내리는 산골짜기 풍경, 가슴을 시원하게 열어주는 탁 트인 바다. 그 고장에서 자라지 않았으면 보거나 느낄 수 없는 이러한 정경들이, 사람의 내면에 스며 있다가 말을 할 때 자연스럽게 흘러나온다. 우리는 그의 말을 들으며 삶의 정취를 느낄 수 있다.

다른 사람을 의식하지 않고 자기를 있는 그대로 보여줄 때 소리에도 자신이 드러난다. 남들 앞에서 낭독할 때도 나 혼자 있을 때처럼 소리를 내면 듣는 사람도 더 편하게 듣는다. 누구에게나 남에게는 보여줄 수 없는 자기만의 모습이 있다. 그 모습을 좋다 나쁘다 판단하지 말고 있는 그대로 인정하고 받아들이는 태도가 필요하다. 그래야 더 쉽게 자신을 드러낼 수 있다. 다른 사람을 의식하면 정작 중요한 본질을 놓친다.

지금은 혼자 낭독하는 시간이다. 남들에게 내 소리가 어떻게 들릴지 신경 쓰지 않아도 된다. 처음엔 소리는 내려놓고 간다고 생각하자. 목소리 자체에 신경 쓰다 보면 낭독 자체가 망가질 수 있다. 텍스트를 충분히 공감하고 느끼는 것이 먼저다. 글과 내가 하나가 되어 낭독할 때 몸에 힘도 풀어지고, 소리도 편안하게 나온다. 텍스트가 내 목소리를 통해서 움직인다고 상상해도 좋다. 평소 목소리로 책을 읽어보고 가장 편안한 상태에서도 소리를 내보자. 지금은 발음도 명확하지 않고 소리도 잘 안 나올 수 있지만, 그래도 괜찮다. 우선은 글을 받아들이면서, 자기에게 내용을 전달한다는 생각을 가지고 읽어보자. 발음이 뭉개져도 의미는 전달된다. 가장 나다우면서도 편안한 소리를 찾아가면 된다. 목소리의 형태보다는 자기 내면에 집중했을 때 자연스러운 소리를 낼 수 있다. 너무 잘하려는 생각도 비우자.

낭독은 내면의 아름다움을 소리로써 전달하는 것이다. 마음을 전하는 것은 테크닉이나 기교가 아니다. 꾸미지 않고, 진심을 담아서 소리를 꺼내면 된다. 활자가 목소리에 실려 내면에 닿으면 내 마음이 어디를 향하고, 어떤 생각이 이는지 느낄 수 있을 것이다.

귀
기
울
여
본
다

    나는 항상 경청을 강조한다. 소리 내는 것 이상으로 듣는 일이 중요하다는 사실을 경험으로 배웠다. 잘 듣지 못하면 낭독도 더 깊이 나아가지 못한다. 낭독은 듣는 대상에서부터 출발한다. 우리가 목소리를 꺼내는 이유는 누군가 듣는 대상이 있기 때문이다. 타인에게 말을 하면 상대방이 듣고, 혼자 말을 하면 내가 그 소리를 듣는다. 어떻게 소리가 들리는지 알고 깨닫는 만큼 다채롭고 깊이 있는 소리를 낼 수 있다.

    내가 처음부터 경청에 관심을 가진 것은 아니다. 돌이켜보면 성우 일을 하면서 여러 시기를 거쳤다. 마음에 뜨거운 것이 많았던 시기에는 나를 드러내는 데 힘을 쏟았다. 연극을 하는 것처럼 온몸을 움직이며 소리를 냈고, 나를 표현하는 걸 주저하지 않았다. 덕분에 시원하게 소리를 내지를 수 있었지만, 때론 주변 사람들을 당황하게도 만들었다. 하루는 녹음실 문을 박차고 나오며 대사를 외쳤는데, 주변 사람들 모두 땡그랗게 눈을 뜨고 나를 쳐다봤다. 지금 생각하면 웃기기도 하고 부끄럽기도 한데, 그런 나를 황당하게 여기는 분도 계셨고 귀엽게 봐주시는 분도 계셨다. 그때는 내 안에 담긴 것들을 마음껏 꺼내고, 사르고 싶었던 것 같다.

내 감성으로 목소리를 내면 충분하다고 생각했던 그때는 자기 점검을 그다지 중요하게 생각하지 않았다. 그러던 어느 날 한 동료가 내게, 자기 소리를 제대로 들어보았냐고 질책하듯 물었다. 그 일이 계기가 되었다. 인정하기는 싫었지만 나에게 문제가 있을 수도 있다는 생각을 하게 되었고, 진지하게 내 소리를 들어보기로 했다. 녹음된 목소리를 들으니, 발음의 공백이 크게 느껴졌다. 많이 놀랐다. 나를 표현하고 드러내는 것에 집중하느라 자기 소리를 점검하지 못한 자신이 부끄러웠다. 열정도 좋지만 내게 부족한 부분을 보완해야겠다는 생각을 했다.

그때부터 경청에 관심을 가졌다. 계속해서 듣는 것에 집중했다. 내 목소리를 녹음해서 들어보고, 주변 사람들의 말에도 귀를 기울였다. 전문적으로 성우 공부를 하지 않았기에, 남들보다 모르는 것이 많을 수 있겠다는 생각을 했고, 그래서 더 의식적으로 소리를 듣고 연구했다.

듣는 시간 외에도 혼자서 소리를 내며 공부하는 시간을 가졌다. 거울 앞에서 내 몸이 어떻게 움직이는지 관찰하고 소리를 내보기도 했는데, 연극을 했던 경험이 도움이 되었다. 소리 내는 모습을 관찰하니, 말을 꺼내기 전에 얼굴 표정에서부터 변화가 일어나는 게 보였다. 말을 하겠다는 신호가 얼굴에서부터 먼저 감지되었다.

그 후에는 입술과 혀의 움직임을 살폈다. 부지런하게 혀와 입을 움직여야 발음이 더 정확하게 나왔다. 발성과 발음이 좋은 사람들을 관찰하기도 하면서 어떻게 해야 소리가 매끄럽게 나오는지 고민했다.

그렇게 관심을 가지고 귀를 기울인 지 1년 반 정도 지났을 때, 소리의 모양이 눈에 들어왔다. 처음에는 얼굴 표정과 조음기관이 보였다면, 이제는 눈에 보이지 않던

소리가 그려지기 시작했다. 소리가 덩어리가 되어 크게도 작게도 만들어지며 몸의 길을 따라 움직이는 모습이 보였다. 말을 뱉는 강도에 따라 덩어리는 늘어지기도 하고 팽팽해지기도 했다.

말을 할 때 어느 기관에 힘을 주고 있는지도 알 수 있었다. 복식호흡을 하고 있는지, 흉식을 쓰고 있는지, 공명을 많이 넣고 있는지 하는 것들이 보였다. 신체의 어떤 기관을 쓰고, 몸의 어떤 통로를 거쳐서 말이 나오는지 알 수 있었는데, 소리 자체가 통째로 보이는 것만 같았다.

하지만 이러한 것들을 알았다고 해서 바로 내 소리가 좋아진 것은 아니다. 깨닫기까지도 많은 시간이 걸렸지만, 그것을 다시 체화하기까지도 많은 시간이 필요했다. 깨달은 것을 소리를 내보며 체득하는 과정이 필요했고, 그때 새롭게 알게 되는 것도 많았다. 아, 소리를 이렇게 내니까 편하구나, 몸의 이 구간을 사용하니 장시간 말을 해도 성대에 무리가 가지 않는구나. 이러한 것들을 알 수 있었다. 그렇게 3-4년 정도, 아는 것을 내 것으로 만드는 시간을 가졌다.

물리적인 면을 많이 이야기했지만 사실 소리는 내면

상태와 더 깊이 연결되어 있다. 오랜 시간 낭독을 하고 목소리에 귀를 기울이면서 마음결에 따라 소리도 달라지는 것을 알게 되었다. 소리에 귀를 기울이면 나의 마음결이 느껴졌다. 과거에 받았던 상처들이 내 목소리에 드러나는 것을 알 수 있었다.

과거에 나의 삶은 메마르고 척박했다. 안에 뜨거운 것이 많았고 반항심도 강했다. 말투도 뚝뚝했고 목소리도 거칠었다. 소리가 떠 있거나 가라앉아 있을 때가 많았는데, 그래서인지 사람들과 어울릴 때도 내가 온전히 섞이지 못하고 떠 있는 듯한 느낌을 받곤 했다.

성우를 하면서 감사한 것은, 내 소리에 귀를 기울이면서 내면을 들여다볼 기회가 많았다는 점이다. 10년 동안 성우 생활을 하고 잠시 휴식기를 가졌는데, 그때 다시 나를 돌아보니 과거와는 많이 달라진 내가 보였다. 목소리도 많이 부드러워지고, 말과 호흡에도 여유가 생겼다. 이전보다 사람들과 잘 어울리고 대화도 많이 하는 내가 보였다. 무엇보다 다른 사람들의 이야기에도 귀를 잘 기울이고 있었다. 타인의 소리, 그리고 내 소리가 마음에까지 잘 들어왔다. 그 모든 것을 비교해보니 예전보다 내가 더 온전해졌다는 생각이 들었다.

내 소리에 귀를 기울이고 나를 들여다보는 과정에서 이런 변화가 생긴 것 같다.

한꺼번에 모든 것이 좋아지지는 않는다. 모든 일에는 시간과 과정이 필요하다. 앞서 이야기한 것처럼 목소리에는 그 사람이 드러난다. 우리네 삶이 단순하지 않듯, 자기 목소리를 찾는 것도 어떤 하나의 방법이나 요령만으로는 설명하기 어렵다. 사람마다 소리를 찾는 과정에서 깨닫고 느끼는 점이 다 다르다. 하지만 한 가지는 확실히 말할 수 있다. 소리에 귀를 기울이기 시작하면 그때부터 변화는 시작된다.

내 소리가 다른 사람에게 어떻게 들리는지 인식하지 못하던 나였지만, 지금은 누구보다 경청을 강조한다. 내 소리를 찾기까지의 여정이 길었지만, 이제는 많은 사람들에게 낭독에 대해 말할 수 있게 되었다. 나의 경험이 자기 소리를 듣기 원하는 사람들에게 조금이나마 도움이 되었으면 좋겠다.

깊이 새겨지는 텍스트

깊이 쓰인 시는 읽는 이의 마음을 흔들고 글 앞에 멈춰 서게 만든다. 섬세한 저자의 마음이 느껴져서 마음이 흔들릴 때도 있다. 담백하게 일상을 그린 수필도, 우리의 자화상을 드러내는 소설도 마찬가지다. 좋은 글은 읽는 사람의 마음을 감화感化시킨다.

글에는 작가가 고민하고 서성인 시간의 흔적들도 스며 있다. 글을 쓴 이가 밤을 새워 쓰고 지우기를 반복하며 걸러낸 문장들이 모이고 엮여 하나의 글이 탄생하기도 한다.

나는 좋은 글을 보면 소리 내어 읽는 편이다. 내 목소리를 밖으로 내어 텍스트를 읽을 때 찾아오는 감동은 눈으로만 글을 읽을 때와는 또 다르다. 낭독을 하면 묵독을 할 때보다 글에서 더 섬세한 감정이 느껴진다. 글이 내는 향과 정서도 더 생생하게 전해진다. 문장과 문장, 단어와 단어 사이에서 느껴지는 호흡도 소리 내어 글을 읽을 때 바로 체감할 수 있다. 섬세한 사람이라면 작가가 글을 쓰면서 멈춰 있었을 그 공간도 느낄 수 있으리라.

글 안에서 느낄 수 있는 여러 감상感想은 소리 내어 읽을 때 더 배가된다. 시인의 섬세한 감성, 소설가의 상상, 수필가가 전하는 삶의 향기. 묵독을 하면 가볍게 스치고 지나갔을 감상이 낭독을 하면 더 깊이 다가온다. 그저 글의 한 구절을 소리를 내어 뱉는 것만으로 글이 가진 감동이 크게 느껴지기도 한다. 평소라면 소리 내어 말할 일이 없는 단어들도 낭독을 하면 그 단어를 입에 담는 기회를 가지게 된다. 섬세하고 아름다운 말들을 입에 담는 일 자체가 신선하고 귀한 경험으로 여겨질 수 있다. 때론 문장과 문장 사이에서 뱉는 작은 호흡마저 특별하게 느껴진다. 실제로 소리 내어 글을 읽으면 느낄 수 있을 것이다.

같은 글도 낭독을 하면 읽을 때마다 그 느낌이 다르다. 미처 알아채지 못했던 저자의 심정이 새롭게 깨달아지기도 하고, 밋밋하게 느껴지는 글도 마치 내가 겪은 일처럼 생생하게 다가오기도 한다. 한 번 읽을 때가 다르고, 두 번 읽을 때가 다르고, 세 번 읽을 때가 다르다.

때론 소리 자체가 다르게 다가온다. 내 마음과는 다른 감성을 내 목소리에서 느낀다. 어떤 마음과 감성을 실어 낭독을 했지만, 뱉어진 소리가 의도와 다르게 들려온다면 그 느낌을 본인이 깨닫고 다시 변화를 주면서 글을 읽으면 좋다. 그럴 때 낭독이 더 좋아지고 본인도 성장한다.

낭독을 하다가 한 문장이 마음에 걸려서 넘어가지 못하는 때도 있다. 유독 그 문장을 더 읽고 싶고 의미를 되새기고 싶다는 생각이 든다. 그러면 다시 그 문장을 소리 내어 읽는다. 의미를 생각하고 내용을 마음에 받아들이면서 낭독을 한다. 그런 낭독은 한 번으로 끝나지 않는다. 작은 소리로 읊조리기도 하고, 고개를 주억거리기도 하며 소리 내어 글을 읽곤 한다. 그러면 글이 나의 내면을 채운 듯한 느낌이 드는데, 그 느낌이 좋으면 반복해서 글을 읽는다.

빠르게 리듬을 타며 낭독이 되는 글도 있지만, 나를 붙잡는 글은 한 페이지도 넘기기가 힘들다. 사실 넘기고 싶지 않다는 게 더 정확한 표현이다. 넘길 수야 있겠지만 글과 더 이야기를 나누고 싶은 마음에 페이지를 넘기지 못한다. 책장을 붙든 채 내 마음을 가만히 글 위에 놓아둔다. 글에 머물면서 전해지는 감동을 충분히 느낀다.

이렇게 낭독을 하면 텍스트가 깊이 마음에 남는다. 글을 소리 내어 읽으면 그 내용이 내 귀에 흐르고 나의 내면을 울린다. 마음이 열린 상태에서 낭독한 글은 자연스럽게 내 마음에 새겨진다.

소리 내어 글을 읽을 때 느껴지는 특별한 감흥이 있다. 그 과정에서 마음에 담기는 것들도 많다. 글쓴이의 정서와 글을 쓰며 고민했을 흔적들, 예쁘고 아름다운 단어들, 내 마음을 울리는 문장들. 낭독이 이 특별한 것들을 경험할 수 있게 길을 열어줄 것이다.

텍
스
트
바
라
보
기

어떻게 하면 낭독을 잘할 수 있는지 묻는 사람들에게
나는 텍스트를 깊이 바라보라고 조언한다. 하지만 선뜻
이해하지 못한다. 그러면 다시 조금 더 풀어서 설명한다.

"글이 지금 무슨 이야기를 하고 있는지 생각하면서
낭독을 해보세요. 글이 나에게 어떤 이야기를 하고 있
는지 들어보세요. 내가 쓰진 않았지만, 그 글을 본인의
가슴으로 느끼고, 다시 목소리로 표현한다고 상상해보
세요."

물론 이렇게 이야기해도 어렵고 잘 안 된다고 말하는
사람들이 있다. 훈련을 받아본 적이 없어서일 수도 있

고, 시도해본 적이 없어서일 수도 있다. 하지만 텍스트 바라보기는 어렵지 않다.

간단한 것부터 연습해보자. 짧은 단어를 읽고 그 단어가 주는 느낌을 떠올려보자.

'깨끗하다'는 형용사를 읽으면 깨끗한 것을 상상하면 된다. 너무 투명해서 유리가 아예 없을 것만 같은 환한 유리창을 떠올릴 수도 있다. 메이크업을 지우고, 폼클렌징을 하고, 화장솜으로 피부 정리를 하고, 화장수를 바른 후 얼굴에서 느껴지는 산뜻한 느낌을 떠올려도 괜찮다.

'따뜻하다'는 형용사의 느낌은 어떨까? 한겨울, 손난로를 손에 쥐었을 때 느껴지는 온기일까? 아니면 나른한 오후, 햇살이 창밖에서 비칠 때 느껴지는 기분 좋은 따스함일까?

'차갑다'는 단어도 생각해보자. 손을 유리창에 갖다 댔을 때 느껴지는 서늘함이 떠오를 수도 있고, 냉동실에 손을 집어 넣었을 때 느껴지는 아찔한 차가움이 떠오를 수도 있다.

사람마다 경험이 다르고, 상상하는 바가 다 다르다. 단어를 읽고 떠올리는 느낌도 제각각일 것이다. 본인이 떠올린 감각, 감정, 느낌을 글에 불어넣어 텍스트를 읽으면 자기만의 낭독이 된다.

단어에서 느껴지는 감성도 있지만, 글 전체에서 느껴지는 정서와 감정도 있다. 저자가 하고 싶은 말이 텍스트에 그대로 표출된 글이 있는가 하면, 글 이면에 숨어 있는 경우도 있다. 그런 글은 숨은 뜻을 깨달았을 때 감동이 온다.

어설프고 서툰 문장이지만 저자의 진솔한 마음이 느껴져서, 읽으면 뭉클하는 글이 있다. 뒤늦게 글을 배운 할머니가 꾸밈없고 솔직한 언어로 지나온 삶을 고백하는 글이 그렇다. 읽다 보면 자기도 모르게 눈시울이 붉어진다. 아버지가 무덤덤한 어조로 결혼한 딸의 안부를 묻는 편지글은 어떨까? '사랑'이라는 글자가 없어도 딸을 향한 아버지의 사랑이 느껴질 것이다. 꿈과 현실 사이에서 앞날을 고민하는 청년의 일기를 읽으면, 그가 고뇌했던 마음이 전해진다.

이처럼 글에는 다양한 정서와 감정이 녹아 있다. 텍스트 바라보기는 글을 이해하는 것은 물론 글에 깔린 정서와 감정까지도 들여다보는 것을 포함한다. 글을 쓴이 사람은 이런 생각과 마음을 가지고 있구나, 하고 받아들이며 글이 전하는 정서도 내면에 담아야 한다. 때론 글을 받아들이는 과정에서, 나의 내면에서 주관적인 해석이 일어나기도 하는데 이때 저자와 나 사이에 감정의 교차가 이루어진다.

글을 바라보면서 마음에 담은 것들을 솔직하게 표현하면 훌륭한 낭독이 된다. 어설픈 발음이라도 낭독자의 감성이 묻어나올 때 듣는 사람은 귀를 기울인다. 내면 깊숙한 곳에서 뿜어져 나오는 정서는 다른 사람들에게도 공감을 불러일으킨다.

텍스트를 바라보지 않고서, 낭독에 내 감정을 싣거나 감성을 더하기란 어렵다. 흉내는 낼 수 있다. 좋아하는 배우 목소리를 흉내 내거나, 다른 사람의 어조를 따라하며 읽을 수는 있다. 실제로 낭독을 가르치다 보면 자기 감성이나 해석 없이, 다른 사람의 톤과 어조만을 가져와서 낭독하는 사람들을 보게 된다. 이해는 된다. 아마도 좀 더 멋있고 괜찮은 목소리로 낭독을 하고 싶은 마음에 그랬을 것이다. 하지만 그렇게 접근하는 낭독은 오래 가지 못한다. 듣는 사람도 불편하지만, 낭독을 하는 본인도 쉽게 지치고 재미를 못 느낀다. 재미를 느끼지 못하면 자연스럽게 낭독과 멀어진다.

  기계에 텍스트를 입력하면 소리 내어 글을 읽는다. 앵무새도 말을 가르치면 흉내 내어 말을 한다. 하지만 기계에게도 앵무새에게도, '낭독을 한다'라고 이야기하지 않는다. 글을 받아들이고 이해하는 과정이 포함되지 않은, 단순한 따라 읽기에 불과하기 때문이다. 기계나 앵무새가 내는 소리에는 감성과 정서가 담겨 있지 않다. 만약 우리의 낭독도 그저 흉내 내기에 불과하다면 앵무새 소리와 다를 바 없을 것이다.

  기술이나 요령만으로는 낭독이 주는 재미와 깊이를 알 수 없다. 내 목소리로 자기만의 소리를 냈을 때 얻을 수 있는 즐거움과 감동이 있다. 낭독을 경험한 많은 사람들이 그 즐거움을 누렸다.

  텍스트를 바라보고 글이 내 목소리를 통해 자신의 이야기를 한다고 상상하면 조금 쉽다. 어떤 이야기를 하고 싶은지, 어떤 정서와 감정이 느껴지는지 가슴으로 받아들이고 느낀 그것을 자기 목소리에 실어 밖으로 꺼내면 된다.

침
묵
의

언
어

나는 낭독 강의를 하면서 학생들에게 문장과 문장 사이에서 충분히 쉬어가라고 조언도 하고 훈련도 시킨다. 그런데 그 과정에서 많은 학생들이 침묵하는 시간을 힘들어한다. 소리 없는 그 시간을 두려워하고, 빠르게 다음 문장으로 넘어가려고 한다. 신호를 줄 때까지 다음 문장을 읽지 말고 멈추라고 해도, 기다리지 못하고 바로 다음 문장을 읽는 학생들도 있다.

낭독을 하며 멈춰 있어야 하는 시간. 침묵하는 그 시간을 많은 사람들이 견디지 못하고 그냥 다음 문장으로 달려나가려고만 한다. 한 문장을 온전히 책임지지 않은 채, 치달으려고만 한다. 그러면 나는 잡아둔다. 멈추라고 하고, 일부러 더 오랜 시간을 침묵 속에 내버려둔다.

낭독을 잘하게 되기까지는 한 걸음씩 떼면서 직접 체험해야 할 것들이 있는데, 그중에서도 유독 침묵을 많이 어려워하고 두려워하는 것 같다. 여러 가지 이유가 있을 것이다. 의미에 집중하지 못하고 글자를 소리 내는 것이 급해서일 수도 있고, 목소리에 많은 신경을 쓰다 보니 여유가 없어서일 수도 있다. 뭔가를 채우지 않으면 불안하다고 생각하는 사람도 있을 것이다.

내가 이렇게 침묵 훈련을 시키는 데는 이유가 있다. 침묵이 강력한 언어이면서 많은 것을 포함하고 있다는 것을 알려주고 싶어서이다.

낭독을 할 때 언제 침묵이 필요할까? 문장에는 포즈Pause가 필요한 공간들이 있다. 마침표가 있고 말줄임표가 있고 쉼표가 있다. 문장과 문장 사이에서도, 문단과 문단 사이에서도, 제목과 본문 사이에서도 멈추고 쉬어야 할 공간들이 있다. 그 공간을 충분히 활용하고, 침묵하는 시간을 누릴 때 낭독에서 더 많은 것을 얻을 수 있다.

다음 글을 소리 내어 읽어보자.

낭독은 머리가 아닌… 가슴으로 하는 것이다.
목소리는 참 신기하게도,
가슴으로 느껴야 생명을 갖게 된다.

말줄임표가 사용된 문장이다. 말줄임표에서 충분히 침묵하고 다음으로 넘어가면 글이 전하는 강도가 달라진다. 이 글을 사람들 앞에서 낭독한다고 생각해보자. '낭독은 머리가 아닌'을 읽고 잠시 멈춰 서자. 아마도 듣고 있던 사람들은 이런저런 생각을 할지 모른다. '낭독은 머리가 아닌?, 무슨 말일까?, 뭔가 다른 말이 나올 것 같은데 무슨 뜻이 있으려나?' 읽는 자신에게도, 듣는 이들에게도 충분히 기다리는 시간을 준 후 다음 문장으로 넘어가자. '가슴으로 하는 것이다.' 크게 읽지 않아도 괜찮다. 침묵 후 이어지는 이 문장은 듣는 사람들의 마음에 깊이 들어선다. 앞에서 멈춰 서며 사람들의 마음과 귀를 붙잡아 두었기 때문이다. 사람들은 '가슴'이라는 단어를 듣는 순간 바로 이해한다. '아, 낭독을 가슴으로 한다는 말이구나. 이 말을 전하고 싶어서 그렇게 멈춰 섰던 거구나.' 쉬어야 할 공간에서 충분한 호흡을 두고 낭독을 할 때 소리에 더 힘이 실린다.

나 혼자 낭독할 때도 침묵하는 시간은 꼭 필요하다. 문장에는 시작과 끝이 있고, 끝에는 마침표가 있다. 한 문장을 낭독하고 다음 문장으로 넘어가는 순간에는 반드시 멈춰 서는 시간이 찾아온다. 그 시간은 여러 의미를 갖는다. 그 문장을 끝까지 읽었다고 침묵으로 말하는 순간이기도 하고, 다음 문장으로 넘어가기 위해 준비하는 시간이기도 하다. 읽은 문장을 충분히 음미하는 시간이 되기도 한다. 글에서 느껴지는 여운이 길다면 오랫동안 멈춰 있자. 성급하게 다음 문장으로 넘어가지 않아도 괜찮다.

마침표에서 멈춰 서며 문장 읽기를 온전히 끝냈다면, 이제 다음으로 넘어갈 준비를 하자. 이것 역시 침묵하는 동안 이루어진다. 묵독으로 다음 문장을 빠르게 훑으면서 내용을 이해하고 입을 뗄 준비를 하는 시간이다. 침묵하며 다음 문장을 받아들이고, 받아들인 그 문장을 소리 내어 읽어나가면 된다. 문장과 문장 사이에서 잠잠히 여운을 느끼고 다음 내용을 받아들이는 시간은 낭독을 더 깊이 있게 만들어준다.

잠잠해야 할 시간을 잘 받아들이면 낭독에 깊이 빠져들 수 있다. 침묵은 그 자체가 하나의 언어이며, 그로 인해 다른 언어들도 강력해지는 경우가 많다. 침묵에 따라 낭독하는 문장이 살아나기도 하고 죽기도 한다.

　침묵을 충분히 느끼고 활용하며 낭독을 해보자. 한 문장을 온전히 소화했다는 책임감을 고요 속에서 느껴보자. 겉으로 보면 아무것도 안 하는 시간으로 비칠 수 있지만, 멈춰 서는 동안 한 문장이 온전히 마무리되고 다음 문장이 움직일 준비를 한다. 침묵은 낭독의 호흡을 이끌어가는 강력한 언어다.

나
를

위
한

낭
독

아빠가 돌아가신 지 8-9년쯤 된 것 같다. 정이 많았든 없었든 간에 가족을 떠나보내는 일은 쉽지가 않다. 나는 아빠가 돌아가신 후로 죽음에 대해서 이런저런 생각을 많이 했다. 사실 아빠랑 그다지 사이가 좋았다고는 할 수 없다. 별로 살갑지도 않았고 같이 산 시간도 길지 않았다. 오히려 아빠를 미워했던 시간이 많았다.

그런데 언제부턴가 드문드문 아빠 생각이 떠올랐다. 함께 차를 타고 가며 봤던 흐드러지게 핀 벚꽃들, 바람이 불 때면 아빠가 행하던 몸짓들, 아빠가 좋아했던 미니 족발…. 벚꽃을 볼 때마다, 노점상을 볼 때마다, 그리고 바람 소리가 들릴 때마다 아빠가 떠올랐다.

　하루는 혼자서 박연준 작가가 쓴 〈소란〉이란 글을 낭독하고 있었다. 거기에 이런 구절이 있다.

　　　있잖아, 장롱에 아슬아슬 쌓아놓은 이불들이
　　　　　기어코 한꺼번에 쏟아지는 것처럼.
　　　　　　아빠가 쏟아지네.
　　　　　　감당이 안 되는데,
　　　　　　아프진 않아.

　이 글을 소리 내어 읽는데 속에서부터 눈물이 올라왔다. 참 많이 울었다. 눈물이 계속 나고, 또 나고 또 나고. 혼자 골방에 들어가서 한참을 엉엉 울었다. 눈물이 멈추지 않아 글을 제대로 읽지도 못했다. 그 후로 심청가 같은 판소리에서 '아이고, 아버지…' 하는 소리만 들어도 눈물이 났다. 아빠에 대한 마음이 그동안 가슴에 계속 쌓여 있었던 것 같다. 나는 낭독을 하며 아빠를 떠나보내지 못했던 내 마음을 들여다봤다.

　돌이켜보면 온전히 나를 위해서 그렇게 소리 내어 글을 읽었던 것 같다. 낭독을 하는 순간 활자가 쿵 하고 내 마음을 울렸다. 감정을 추스르기 힘들었고, 속에 쌓인 것을 꺼내놓고만 싶었다. 계속 소리 내어 글을 읽었고, 마음속 깊이 묻혀 있던 감정들을 밖으로 쏟아내려고 했다. 그렇게 나는 낭독을 하면서 마음을 정화하는 시간을 가졌다. 어떤 날은 혼자 골방에 들어가 3시간을 울면서 소리 내어 책을 읽기도 했다.

읽으면 감정이 동하고 이건 내 이야기라고 느껴지는 글이 있다. 그런 글을 접하면 마음에 찡한 울림이 오는데, 소리 내어 읽으면 감동이 더 깊어진다. 텍스트가 소리로 변해 마음에 닿을 때 내면에 파문이 인다. 어떤 때는 글의 내용은 전혀 슬프지 않은데 낭독을 하면서 알수 없는 울음이 솟구치기도 한다. 내 마음에 묻어두고 꺼내보려 하지 않았던 감정과 생각들이 내 소리에 흔들려 들춰졌기 때문일 수도 있다. 낭독을 하면서 실컷 울고 나면 마음이 씻긴 것 같이 맑아진 느낌을 받는다.

일주일에 한 번씩 낭독 봉사자들을 대상으로 수업을 한다. 봉사자들 목소리로 오디오북을 제작하고, 그것을 시각 장애인들에게 전달하는 게 수업의 목적이다. 봉사를 하고 싶은 마음에 수업에 참여하신 분들이 대부분인데, 봉사라는 생각이 있어서 그런지 처음에 만나면 부담감이 많이 보인다. 그러면 나는 그분들에게 즐기라고 말한다.

"봉사 이전에 자신이 즐거워야 합니다. 내가 즐거워야 지치지 않고 오래 할 수 있어요. 봉사를 한다는 생각을 내려놓고, 낭독을 하며 내 마음과 영혼을 돌본다고 생각하세요."

이렇게 말하면 다들 좋아하신다. 역시나 봉사니까 잘해야 한다는 부담감을 많이 가지셨던 것 같다. 자신에게 좋은 시간을 허락한다는 생각을 가지고 낭독을 할 때 소리도 잘 나오고 결과물도 좋게 나온다. 나를 위한 낭독이 남을 위한 낭독으로 확장된다. 그래서 나는 먼저 자신을 위해서 소리를 내라고 말한다.

나 역시 나를 위한 낭독 시간을 많이 가졌다. 아빠를 떠올렸던 그 일도 나에게는 꼭 필요한 시간이었다. 내 목소리를 내면에 들려주면서 그동안 깨닫지 못했던 내 마음을 들여다볼 수 있었고, 내 안에 어떤 감정이 잠들어 있는지 살필 수 있었다. 내 안에 쌓인 감정들을 하나씩 들춰내며 슬픔을 발견했고, 계속 입을 열어 글을 읽으며 그 슬픔을 떠나보냈다.

　나를 위한 낭독이 무거운 것만은 아니다. 오히려 기쁘고 즐거울 때가 더 많다. 무거우면 무거운 대로, 즐거우면 즐거운 대로 자기 마음을 들여다보면 된다. 온전히 자신에게 집중해서 텍스트를 들려주고, 내 마음에 일어나는 변화를 느끼면 된다. 내 마음에 어떤 감정이 느껴지는지, 무슨 소리를 하고 싶은지 들여다보는 것만으로도 충분히 좋은 시간이 될 것이다. 텍스트에 푹 빠져들고 싶은 날이면, 마음을 들여다보고 싶은 날이면, 혼자 있을 공간을 찾아 그곳에서 '나에게, 낭독'을 허락하면 어떨까?

내 목소리
확인하기

낭독을 하면서 자기 목소리를 듣는 것은 참 중요합니다. 자신의 마음을 느껴볼 수도 있고, 목소리를 좋게 만드는 데도 도움이 됩니다. 더 객관적으로 자기 소리를 듣고 싶다면 녹음을 해서 듣는 것이 좋습니다. 자주 듣다 보면 자기 목소리에 익숙해지고, 소리를 꺼내야 한다는 부담도 줄어들 것입니다. 자기 소리와 친해지는 방법을 간단하게 알려드리겠습니다.

1. 읽을 책을 선택하고 하루에 5분–10분씩 소리 내어 읽기

남에게 방해받지 않을 공간이 있으면 좋습니다. 자리에 앉아 평소 읽고 싶었던 책을 선택하세요. 그리고 편안한 상태에서 책을 소리 내어 읽습니다. 낭독이 재미있으면 길게 해도 되지만, 처음부터 너무 무리해서 할 필요는 없습니다.

2. 녹음하기

낭독을 하며 자기 소리를 녹음해보세요. 스마트폰으로 손쉽게 녹음할 수 있습니다. 더 생생하게 자기 소리를 듣고 싶다면 녹음기를 따로 구매하셔도 좋습니다. 녹음을 한 후엔 날짜와 내용 등을 간략하게 기록해 두세요. 나중에 목소리를 비교해서 들어보고 싶을 때 파일을 수월하게 찾을 수 있도록 말이죠.

3. 녹음한 파일을 들으며 잠들기

잠자리에서 본인이 녹음한 파일을 들어보세요. 이 방법은 자기 목소리가 익숙해지는 데 많은 도움이 됩니다. 누우면 몸과 마음이 편안해집니다. 그 상태에서는 자기 목소리를 받아들이기도 더 쉽습니다.

4. 15일이 지나고 비교하기

날마다 내 목소리를 녹음해보고, 15일이 지난 후에 첫날 녹음했던 소리와 비교해보세요. 내 목소리가 어느 정도 변화했는지, 또 얼마나 익숙해졌는지 느껴보세요. 자기 소리가 거부감 없이 들리는지 확인하는 단계입니다.

5. 30일이 지나고 비교하기

녹음을 한 지 30일 정도가 지난 후에 다시 첫날 녹음 소리와 비교해서 들어보세요. 이전에 비해 확실히 자기 소리가 익숙하게 들릴 겁니다. 발음이나 발성은 아직 부족할지라도 자기 소리에 익숙해지는 게 중요합니다. 내 소리가 익숙해지면 그때부터 더 재미있게 낭독을 할 수 있습니다.

6. 반복학습하며 좋아진 목소리, 발성 확인하기

이제부터 시작입니다. 녹음된 파일을 들어보고 스스로 자기 소리를 진단해보세요. 발음이 이상한지, 소리가 답답하게 들리는지 확인해보세요. 발음이 안 되면 입을 더 크게 벌리고 낭독을 해보기도 하고, 소리가 답답하면 배에 더 힘을 주고 소리를 내보기도 하세요. 의식적으로 소리에 변화를 주면서 녹음을 하고 다시 비교하고 들어보는 과정을 반복합니다. 그렇게 진단하면서 소리가 어떻게 달라지는지 느껴보세요. 반복해서 연습하다 보면 점점 발성도 좋아지고 목소리에도 자신감이 붙게 됩니다.

오늘부터 시작해보는 것은 어떨까요?

SPEECH

'SPEECH'는 '말'입니다. 낭독도 결국은 말로 글을 전하는 것입니다. 어떻게 낭독을 하면 좋을지 SPEECH라는 단어를 활용해서 알아볼까요?

Sincerity 진정성

소리에는 진정성이 실려야 합니다. 낭독도 마찬가지입니다. 내 마음에 진심을 담아 글을 읽을 때 텍스트가 살아나고 소리에도 힘이 실립니다. 특별히 소리를 전문적으로 배우고 싶은 사람이라면, 내가 진심을 담아 말을 꺼내고 있는지 끊임없이 점검해야 합니다.

 Passion 열정

열정을 가지고 소리 내는 것을 말합니다. 열정이 담긴 낭독은 듣는 사람에게도 감흥을 불러일으킵니다. 물론 이 열정은 진정성을 바탕으로 한 상태에서 흘러나와야 합니다.

 Emotion 감정

감정을 실어 글을 읽어야 합니다. 감정이 실리지 않으면 죽은 글이 되기 쉽습니다.

E Easy 쉽게

쉽게 말을 하세요. 몸에 힘을 빼고 편안하게 소리를 내면 됩니다. 낭독을 할 때도 몸에 힘이 들어가면 소리가 딱딱해집니다. 또 읽는 글이 너무 어렵다면, 쉬운 글부터 시작하세요. 지루하지 않게 낭독하는 것이 좋습니다.

C Cantabile 노래하듯이

마치 노래하는 것처럼 소리 내는 것을 말합니다. 소리에는 강세가 있고 운율이 있습니다. 리듬감을 살려 말을 하면 귀가 즐겁습니다.

H Humor 재미있게

내가 즐겨야 합니다. 그래야 낭독도 오래 할 수 있습니다. 언제나, 즐긴다는 마음을 잊지 마세요.

시, 소설, 동화, 판소리 등 낭독하기 좋은 글들이
다채롭게 실려 있습니다. 글을 소리 내어 읽으며
내 목소리에 귀를 기울여보기 바랍니다.

3장

나에게,
낭독

나는 고양이로소이다

나는 고양이다, 이름은 아직 없다.

어디서 태어났는지 전혀 짐작이 가지 않는다. 다만, 어두침침하고 눅눅한 곳에서 야옹야옹 울고 있었던 것만은 기억한다. 여기서 나는 처음으로 인간이라는 것을 보았다. 나중에 들었는데 그것은 서생書生이라는, 인간 중에서도 가장 영악한 족속이었다고 한다. 이 서생이라는 족속은 이따금 우리 고양이들을 잡아 삶아 먹는다는 이야기도 들린다. 그러나 그때는 아무것도 몰라서 그다지 무섭다는 생각이 들지 않았다. 단지 서생의 손에 얹혀 쓱 들어올려졌을 때 뭔가 둥실둥실 떠 있는 느낌이 들었을 뿐이다. 손바닥 위에서 마음을 가라앉히고 서생을 쳐다보는데, 그때가 아마 인간의 얼굴을 처음 본 것일 게다. 참 묘하게 생긴 족속이구나, 했던 기억이 지

금도 남아 있다. 우선 털로 덮여 있어야 할 얼굴이 반질
반질한 게 마치 주전자 같았다. 나중에 다른 고양이들
도 많이 만났지만, 이런 등신 같은 족속은 한 번도 본 적
이 없다. 게다가 얼굴 가운데가 너무 튀어나와 있었다.
그리고 구멍 안에서 뿍뿍 연기를 내뿜고 있었는데 코가
매워서 견딜 수가 없었다. 그것이 인간들이 피우는 담
배였다는 사실은 최근에서야 겨우 알았다.

서생의 손바닥 위에서 잠시 기분 좋게 앉아 있나 싶
었는데, 별안간 엄청난 속도로 움직이기 시작했다. 서
생이 움직이는 건지 내가 움직이는 건지 모르겠지만 눈
이 핑핑 돌고 속이 울렁거렸다. 도저히 살 수 없겠구나,
생각한 순간 털썩 소리가 나면서 눈에서 불꽃이 튀었

다. 거기까지는 생각났지만, 그 후에는 무슨 일이 있었는지 아무리 생각해내려 해도 떠오르지 않았다.

문득 정신을 차리고 보니 서생은 보이지 않는다. 그 많던 형제자매들도 한 마리도 곁에 없다. 소중한 어머니마저 모습을 감췄다. 게다가 이곳은 여태 있던 곳과는 달리 굉장히 밝다. 눈을 뜨고 있기 힘들 정도다. 어라, 뭔가 이상한데, 생각하며 슬금슬금 기어나가려고 하자 온몸이 욱신욱신 쑤셨다. 나는 볏짚 위에서 갑자기 조릿대 밭으로 내던져진 것이다.

어렵게 조릿대 밭에서 기어 나오자 멀리 큰 연못이 보였다. 나는 연못 앞에 앉아 이제 어떻게 해야 하나 생각해봤다. 특별하게 뾰족한 수가 떠오르지 않았다. 잠시 시간이 지나자, 여기서 울어대면 서생이 데리러 오지 않을까 하는 생각이 들었다. 야옹야옹, 시험 삼아 울어 보았지만 아무도 오지 않는다. 곧 연못 위로 바람이 살랑살랑 불면서 해가 기울기 시작했다. 배가 너무 고팠다. 울고 싶어도 소리가 나오지 않는다. 어쩔 수 없다, 뭐라도 좋으니 먹을 것이 있는 곳까지 움직이자. 이렇게 결심하고 힘든 몸을 이끌고 연못 왼편으로 돌기 시작했다. 너무 괴롭다. 고통을 꾹 참고 계속 기어가자 간신히 인간 냄새가 나는 집이 보였다. 여기에 들어가면 어떻게든 되겠지 싶어, 나는 대나무 울타리 사이로 난 구멍을 통해 집의 뜰 안으로 숨어들었다.

― 나츠메 소세키夏目漱石, 《나는 고양이로소이다》 중에서

내 마음 하나 알아주는 것

여 : 오빠, 나 살쪘지?

남 : 잘 모르겠는데…?

여 : 오빤 나한테 관심 없어?

남 : 아니, 그게 아니라… 살 좀 찌면 어때? 나 원래 통통한 여자가 이상형이야.

여 : 뭐? 그래서 쪘다는 거야? 지금 내가 뚱뚱하다는 거지?

남 : 아니….

여 : (한숨) 아 그래, 한번 보라고! 살찐 것 같냐구?

남 : 그런가….

여 : 이게 생각할 일이야? 이게 생각할 일이냐고?!

남 : …….

이 뒤는 더 보지 않아도 다 아시겠죠? 어느 장단에 맞춰야 이 대화의 종지부를 잘 찍었다 할 수 있을까요? 말이라 해도 다 같은 말이 아닌가 봅니다. 결국에는 그 사람의 속마음을 알아차려야 서로를 잘 알아주었다 할 수 있겠죠.

얼마 전 지나치듯 본 영상이 가슴에 오래 남아 있습니다. 늦은 밤 한 지하철역에서 잔뜩 취한 아저씨가 고래고래 소리를 지르며 술주정을 하고 있었습니다. 공공장소에서 그러고 있었으니 당연히 신고가 들어갔을 테고, 그 아저씨는 난동을 부린 진상 시민이 되었습니다.

경찰들이 그 아저씨를 제지하던 순간, 한 청년이 아저씨에게 가까이 다가가 따뜻하게 안아주었습니다. 아저씨는 청년의 어깨에 얼굴을 묻은 채 조용히 숨을 고르고 경찰도 거친 제지를 멈추었습니다. 이 영상은 '난동 부리는 취객을 포옹으로 진정시킨 청년'이란 제목으로 전해졌습니다.

이 아저씨의 난동을 멈춘 힘은 무엇이었을까요? 한 사람이 누군가의 마음 하나 알아주는 것!

이런 걸 공감이라고 하나요?

그래요. 공감.

문득 이런 생각이 들었습니다. 공감은 내 관점이 아닌 상대방의 관점으로 바라보는 것 아닐까요? 내 한계를 넘어서지 못하면 결코 쉽지 않습니다. 그런데 이 청년은 이걸 아주 쉽게 해냈군요. 사람 마음 하나 알아주는 일이요. 그런데 이 마음이라는 게 눈에 보이지 않아서 힘들다는 겁니다. 보이지 않는다고 해서 없는 것도 아니고 말입니다.

저는 보이지 않는 이 세계를 조금이나마 엿볼 수 있게 해놓은 것이 바로 활자라고 생각합니다. 그러니 텍스트를 바라본다는 것은 보이지 않는 누군가의 생각과 마음, 영혼까지도 만날 수 있는 일입니다. 참 신비하고 대단합니다. 흥미롭고 재미있는 작업이기도 합니다.

이런 생각으로 이어졌습니다. 낭독을 통해 활자에 대한 이해와 공감과 경청이 잘 이루어진다면 사람과 사람 사이의 소통의 공간도 조금이나마 넓어지지 않을까 하는 생각으로요.

내 마음도, 타인의 마음도 낭독이란 이름으로 포용해 줄 수 있는 시간이 되길 바랍니다.

자 그럼, 이 신비로운 작업인 낭독의 시간으로 같이

들어가 볼까요?

— 송정희, 《낭독을 시작합니다》 중에서

비에도 지지 않고

미야자와 겐지宮沢賢治

비에도 지지 않고

바람에도 지지 않고

눈에도 여름 더위에도 지지 않는

튼튼한 몸을 가지고

욕심은 없이 결코 성내지 않고

언제나 조용히 웃으며

하루에 현미 네 홉과

된장과 조금의 채소를 먹고

모든 일에 자기 욕심을 내려놓고

잘 보고 듣고 알며

그리고 잊지 않으며

들판 소나무 숲 그늘 밑

자그마한 초가집 오두막에 살면서

동쪽에 아픈 아이 있으면

가서 돌봐주고

서쪽에 지친 어머니 있으면

가서 볏단을 지어주고

남쪽에 죽어가는 사람 있으면

가서 두려워 말라 위로하고

북쪽에 다툼 있으면

별거 아니니 그만 하라 권하고

가뭄 들면 눈물 흘리고

여름에 추위 오면 허둥지둥 걷고

모두에게 바보라고 불리는

칭찬도 듣지 않고 걱정도 끼치지 않는

나는 그런 사람이 되고 싶다.

낯선 사람에게 말 걸기

아파트 엘리베이터를 타다 보면 가끔 당황스러울 때가 있습니다.

"날이 좀 풀렸어. 그렇지? 한결 나다니기 좋구먼."

아까부터 옆에 서서 엘리베이터를 기다리던 할머니의 목소리입니다. 내게 하는 말은 아닐 텐데, 주위를 둘러보면 나말곤 아무도 없습니다.

이윽고 문이 열려 엘리베이터를 탔더니 이번엔 할머니가 아예 내 쪽으로 얼굴을 돌리고 말을 걸기 시작합니다.

"나는 손자 보러 왔는데, 혹시 여기 사슈?"

"아… 예…."

"황사가 왜 이리 심해? 어디 다니지 마슈."

이럴 때는 참 난감합니다. 대꾸를 해야 하나 말아야

하나 고민하는 사이, 할머니는 열린 문을 지나 성큼성큼 내립니다.

"안녕히 가세요….".

마음으로만 웅얼웅얼, 다음번에 이런 일이 닥치면 주저하지 말고 말문을 열어야겠다 다짐하지만, 매번 참 쉽지 않습니다. 한마디로 말해서, 마음의 순발력이 떨어집니다.

우연히 마주친 누군가에게 말을 건넨다는 건 꽤나 용기가 필요한 일입니다. 낯선 이의 말에 귀 기울였다가 석연찮은 경험을 해본 사람들은, 모르는 사람이 가까이 다가서는 것만으로도 잔뜩 긴장합니다.

말을 거는 이에게 수상한 목적이라도 있을까 봐 일단 한 걸음 뒤로 물러서고 봅니다. 하지만 누군가를 만날 때 미소 짓고 음식을 나누는 것은 우리가 오래전부터 배워왔던 일 아닌가요?

...

내가 누군가에게 무작정 다가가지 않으면, 나에게 다가오는 타인의 존재를 제대로 이해할 수 없습니다. 비록 실패를 거듭할지라도 반복되는 시도를 통해 서로에게 다가서려 할 때, 나의 존재도 의미가 생깁니다.

— 송정림, 〈낯선 사람에게 말 걸기〉, 《감동의 습관》 중에서

강 아 지 똥

돌이네 흰둥이가 똥을 눴어요. 골목길 담 밑 구석 쪽이에요. 흰둥이는 조그만 강아지니까 강아지똥이에요. 날아가던 참새 한 마리가 보더니 강아지똥 곁에 내려앉아 콕콕 쪼면서 "똥! 똥! 에그, 더러워…" 하면서 날아가 버렸어요.

"뭐야! 내가 똥이라고? 더럽다고?"

강아지똥은 화도 나고 서러워서 눈물이 나왔어요.

…

보슬보슬 봄비가 내렸어요. 강아지똥 앞에 파란 민들레 싹이 돋아났어요.

"너는 뭐니?"

강아지똥이 물었어요.

"난 예쁜 꽃을 피우는 민들레야."

"얼마만큼 예쁘니? 하늘의 별만큼 고우니?"

"그래, 방실방실 빛나."

"어떻게 그렇게 예쁜 꽃을 피우니?"

"그건 하느님이 비를 내려주시고, 따뜻한 햇볕을 쬐어주시기 때문이야."

"그래애⋯. 그렇구나⋯."

강아지똥은 민들레가 부러워 한숨이 나왔어요.

"그런데 한 가지 꼭 필요한 게 있어."

민들레가 말하면서 강아지똥을 봤어요.

"⋯."

"네가 거름이 돼줘야 한단다."

"내가 거름이 되다니?"

"네 몸뚱이를 고스란히 녹여 내 몸속으로 들어와야 해. 그래야만 별처럼 고운 꽃이 핀단다."

"어머나! 그러니? 정말 그러니?"

강아지똥은 얼마나 기뻤던지 민들레 싹을 힘껏 껴안아 버렸어요.

비는 사흘 동안 내렸어요. 강아지똥은 온몸이 비에 맞아 자디잘게 부서졌어요…. 부서진 채 땅 속으로 스며들어가 민들레 뿌리로 모여들었어요. 줄기를 타고 올라가 꽃봉오리를 맺었어요.

봄이 한창인 어느 날, 민들레 싹은 한 송이 아름다운

꽃을 피웠어요. 향긋한 꽃 냄새가 바람을 타고 퍼져 나 갔어요. 방긋방긋 웃는 꽃송이엔 귀여운 강아지똥의 눈 물겨운 사랑이 가득 어려 있었어요.

— 권정생, 《강아지똥》 중에서

키다리 아저씨

대학에 돌아와 책을 보니 너무 기뻐요. 제가 진짜 학생이구나 하는 생각이 들어요. 뉴욕에 있을 땐, 학교에서 책을 보면서 느꼈던 이 고요함을 찾을 수 없었거든요. 대학 생활이 너무 만족스러워요. 책을 읽고 공부를 하고 수업을 들으면 활기가 솟아요. 마음이 지치면 체육관이나 운동장으로 나갈 수도 있고, 항상 같은 생각을 하는 마음 잘 통하는 친구도 만날 수 있어요. 저녁 시간이면 다른 일은 하지 않고 오직 친구와 밤새도록 이야기를 나누고, 마치 우리가 전 세계의 어려운 문제를 다 해결한 듯이 들뜬 마음을 가진 채 잠자리에 들기도 한답니다. 틈만 나면 사소한 이야기를 꺼내고, 그 이야기에 농담을 더하고, 자기 재치에 스스로 감탄하기도 하지요.

중요한 것은 큰 기쁨이 아니에요. 작은 것에서 큰 기쁨을 만들어가면 돼요. 아저씨, 저는 진정한 행복의 비결을 발견했어요. 바로 현재를 사는 거예요. 과거 일을 계속 후회하거나 미래만 바라보는 것이 아니라, 지금 이 순간에 최고의 행복을 찾으면 돼요. 저는 매 순간을 즐기기로 했어요. 그리고 내가 삶을 즐기고 있다는 사실을 언제나 잊지 않으려고 해요. 많은 사람들이 삶을 살아가는 것이 아니라, 경주를 하는 것만 같아요. 결승선을 향해 달리느라 숨이 가빠서 우리 옆을 지나고 있는 아름다운 풍경들을 놓치고 말아요. 결승선에 도착한 것과 그렇지 못한 것에 별반 차이가 없다는 사실을 깨달았을 땐, 이미 너무 늙고 지쳐버린 상태가 아닐까요?

　저는 결심했어요. 길가에 앉아 작은 행복을 쌓기로

말이에요. 위대한 작가가 되지 못한다고 해도 괜찮아
요. 제가 꼭 철학자 같지 않나요?

아저씨의 영원한 친구, 주디로부터

— 진 웹스터^{Jean Webster}, 《키다리 아저씨》 중에서

오만과 편견

그들이 개울 쪽으로 잔디밭을 가로질러 건널 때, 엘리자베스는 다시 한 번 집을 보려고 돌아섰다. 삼촌 내외도 걸음을 멈췄다. 엘리자베스는 저 건물이 언제쯤 지어졌을까 하고 생각했다. 바로 그 순간 다아시가 마굿간이 연결된 집 뒤편에서 갑자기 튀어나왔다.

둘 사이의 거리는 20미터도 못 되었고, 다아시가 너무나 갑작스레 나타난 바람에 엘리자베스는 그를 피할 수 없었다. 곧 두 사람의 눈이 마주쳤고, 서로의 뺨이 붉게 물들었다. 다아시도 몹시 놀랐는지 한동안 움직일 줄 몰랐다. 하지만 이내 평정을 되찾고 그들에게 다가와 완벽하지는 않지만 정중한 태도로 엘리자베스에게 말을 걸었다. 엘리자베스는 처음엔 본능적으로 몸을 돌렸지만 다아시가 계속 다가왔기에 당황한 모습을 감추지 못한 상태에서 그의 인사를 받아야 했다.

　삼촌 내외는 다아시가 엘리자베스에게 말을 하고 있는 동안 약간 떨어져서 서 있었다. 놀란 엘리자베스는 그와 눈도 제대로 마주치지 못했다. 가족의 안부를 묻는 그의 질문에 본인이 무슨 대답을 하고 있는지도 몰랐다.

　갑자기 변한 다아시의 태도가 그녀는 당황스러웠다. 그가 계속 말을 꺼낼 때마다 그 당황스러움은 더욱 커져만 갔다. 그녀는 평생을 살면서 지금 이 순간처럼 당혹스럽고 불안한 감정을 느낀 적은 없다고 생각했다. 자신이 이곳에 온 게 터무니없는 잘못처럼 여겨졌다. 다아시도 당황했는지, 평소의 침착했던 말투가 아니었다. 그녀에게 롱본은 언제 출발하는지, 더비셔에는 얼마나 머무는지 따위의 질문만 되풀이하고 있었는데, 무언가 서두르는 모습이 정신이 없는 것처럼 보였다. 나중에는 그도 더 이상 할 말이 떠오르지 않았는지 한동안 말없이 서 있다가, 정신을 차리고는 급히 작별 인사를 하고 자리를 떠났다.

돌아오는 동안 다아시의 성품에 감탄한 삼촌 내외는 연신 그를 칭찬했지만, 엘리자베스의 귀에는 들어오지 않았다. 그녀는 자기 감정에 빠져서 묵묵히 걷기만 했다. 괴로움과 수치심이 그녀를 괴롭혔다. 내가 이곳에 오다니, 세상에서 가장 멍청하고 바보 같은 짓이었어! 얼마나 그가 이상하게 생각할까? 그렇게나 자존심이 센 남자에게 이게 무슨 창피한 일이야. 아마도 내가 일부러 자기 앞에 나타났다고 생각하겠지. 아, 내가 왜 여기에 왔을까! 그 사람은 왜 또 예정보다 하루를 당겨서 왔을까?

엘리자베스는 몇 번이고 다아시와의 재회를 떠올리며 얼굴을 붉혔다. 달라진 그의 태도를 어떻게 받아들여야 할지 판단이 안 섰다. 그가 먼저 말을 건네는 것 자체가 놀라운 일이었다. 더구나 그렇게나 정중한 태도로 가족의 안부까지 물어보다니. 엘리자베스는 그가 위엄을 내려놓고 그렇게 예의 바르고 상냥한 태도로 말을 건네는 모습이 의아하고 놀라웠다. 한 번도 그런 모습을 보인 적이 없었다. 그가 로징스 정원에서 그녀에게 편지를 건네며 말을 하던 때와는 너무나 대조적인 모습이었다. 엘리자베스는 이것을 어떻게 이해하고 설명해야 할지 혼란스러웠다.

— 제인 오스틴Jane Austen, 《오만과 편견》 중에서

청춘은 아름다워라

어느 날 아침, 복도 창가에서 파이프를 닦고 있는데 로테가 달려와 외쳤다.

"오빠! 열한 시에 내 친구가 도착한대."

"안나 암베르크 말이니?"

"응, 같이 마중 나갈 거지?"

"뭐, 난 괜찮아."

손님이 온다는 이야기는 들었으나 그동안 잊고 있었던 방문 소식인지라 그다지 기쁘지는 않았다. 그렇다고 발을 뺄 수도 없는 노릇이라 열한 시쯤 되어 동생과 함께 역으로 나갔다. 아직 기차가 도착하기 전이라 우리는 역 앞에서 이리저리 서성였다.

"아마도 2등칸을 타고 올 거야." 로테가 말했다.

나는 의아한 눈으로 로테를 바라보았다.

"틀림없어. 집이 부자니까. 검소한 애긴 하지만⋯."

조금 언짢았다. 고상한 숙녀가 커다란 트렁크를 들고 2등칸에서 내린다니. 정겨운 우리 집을 보면 초라하다고 여길 것이고, 나도 대수롭지 않게 생각할 테지.

"2등칸을 타고 오면 다시 돌아가라고 하자. 어때?"

로테는 못마땅한 표정을 지었다. 바로 나에게 한마디 하려 했지만 그 순간 기차가 역에 들어섰다. 로테는 재빨리 그곳으로 뛰어갔고, 나는 천천히 로테의 뒤를 따랐다. 3등칸에서 내리는 동생의 친구가 보였다. 커다란 숄을 두른 그녀는 명주로 만든 잿빛 양산에 수수한 가방을 들고 있었다.

"안나, 우리 오빠야."

나는 '안녕하세요?' 하고 가볍게 인사를 했다. 3등칸

을 타고 왔지만, 그녀가 어떻게 생각할지 몰라 가방을
내가 받아들지 않고 짐꾼을 불러 맡겼다. 나는 두 사람
과 함께 집으로 걸어왔는데, 끊임없이 이야기를 쏟아내
는 두 아가씨가 놀랍기만 했다. 하지만 암베르크는 마
음에 들었다. 그다지 예쁘지는 않아 조금 실망했지만,
얼굴과 목소리에 매력이 있었으며, 사람을 기분 좋게
만드는 무언가가 있었다.

어머니가 문 어귀에서 두 사람을 맞이하던 광경이 지
금도 눈에 선하다. 어머니는 사람을 통찰하는 눈을 갖
고 계셨다. 어머니가 위아래로 훑어본 후 웃으며 맞아
들이는 사람이라면 편하고 즐겁게 어울릴 수 있는 상
대였다. 지금도 기억한다. 어머니는 유심히 안나의 눈

을 보시더니 곧 두 손을 내밀어 말없이 그녀를 맞아들였다. 안나를 식구처럼 편하게 대하는 어머니의 모습에 그녀를 잘 몰라서 불안해하던 나의 마음도 눈 녹듯이 사라졌다. 안나도 우리가 내민 손을 순수하게 받아들였고, 우리는 마치 처음부터 한 식구였던 것처럼 자연스럽게 어울렸다.

아직 어리고 지혜와 분별력이 부족한 나였지만, 첫날부터 호감을 준 이 아가씨가 상대를 편안하게 만드는 자연스러움과 명랑함을 지니고 있으며, 세상 경험이 많지 않아도 좋은 친구가 될 수 있는 상대라는 걸 알았다. 그녀가 지닌 명랑함은, 내가 어렴풋이 알고는 있었지만 직접 경험하진 못했던 것이었는데, 그것은 보통 사람들은 쉽게 얻을 수 없는, 오직 고통과 고난을 통해서만 얻

을 수 있는 고귀한 명랑함이었다. 이 소중한 명랑함을
우리 집에 온 손님이 지니고 있다는 사실을 나는 나중
에야 알게 되었다.

— 헤르만 헤세^{Hermann Hesse}, 《청춘은 아름다워라》 중에서

사투리의 맛

방송국 생각을 하니 서울이 점점 기대되기 시작했습니다. 그렇지만 곧 없어지는 우리 금봉분교 때문에 우리 학교 아이들 모두 속상한데 혼자서 저만 신나 할 수는 없습니다.

"철환이 니는 좋겠다. 서울로 강께. 나도 데불고 갔음 싶다."

누구보다도 혁이 녀석이 제일로 서운해 하는 것 같습니다.

"뭐 서울이 별거 있간디! 별로 좋을 것도 읎다."

"자슥, 니 서울 감 우리 다 잊어뿔지 말그라."

"별걸 다 걱정한다."

"니 솔찮이 겁나 불지? 그려도 쫄지 마러! 니가 우리 동네 아나운서다. 이참에 서울 애들 기를 콱 죽여뿌려라."

"아먼, 암씨롱토 않다. 느그들 걱정 말랑께."

사실 속으로는 조금 걱정이 되었습니다.

깍쟁이 같은 서울 아이들 사이에서 제가 과연 잘할 수 있을까요? 그렇지만 우리 학교 친구들 말처럼 서울 애들이 별건가요! 제가 명색이 우리 학교, 우리 동네 아나운서 구철환인데 말입니다. 걱정 없습니다.

두고 보십시오. 아나운서 구철환이 이제는 돌산도 아나운서가 아니라 여의도 아나운서가 되어 나타날 겁니다.

'서울이 별거간디! 별거간디! 나는 암씨롱토 않다. 암씨롱토 안 혀.'

서울로 올라가는 케이티엑스 기차 안에서 수도 없이 속으로 말했습니다.

그런데 막상 서울에 도착해 보니 서울이 별거 아닌 게

아니었습니다. 서울 학교는 우리 금봉분교보다 열 배는 더 컸습니다. 아니, 백 배도 더 되는 것 같았습니다.

우리 고향에 있는 금봉분교는 전교생이 누가 누구인지 다 알고 지냅니다. 전교생이 모두 한 반이니까요. 가끔 잠꾸러기 승범이가 늦잠만 자지 않아도 전교생이 매일매일 같이 등교했을지도 모릅니다.

— 류호선, 《사투리의 맛》 중에서

아주 오래된 농담

혼자 지어 먹는 것도 집 밥이 된다는 데 용기를 얻어 어느 날 집에서 밥을 지어보았다. 찾아보니 전기밥솥을 비롯해 냄비 프라이팬 등 밥과 반찬을 만들 만한 기구도 아쉽지 않게 갖춰 놓고 살고 있었다. 밥을 안치고 나서 몇 가지 반찬을 만들기 시작했다. 밥이 뜸 드는 냄새와 된장찌개, 굴비 굽는 냄새가 어우러지면서 이곳이 바로 사람 사는 집구석이로구나 하는 생각이 들었다. 그리운 냄새였다. 나는 밥 냄새를 통해 내 유년기와 맺어지고 있었다. 나는 그냥 되는대로 반찬을 만들고 있는 것이 아니라 내 입맛을 형성한 시기의 맛을 흉내 내고 있는 거였다.

남자하고 살 때, 가정부도 음식을 만들려면 부엌에서 냄새를 풍겼다. 나는 집에서 그런 냄새가 나는 게 싫었다. 팬을 돌려도 음식 냄새가 완전히 가시는 건 아니었다. 나는 그것 때문에 늘 아줌마한테 짜증을 내곤 했다. 아줌마, 냄새 좀 안 나게 반찬 만들 순 없어요? 부엌은 기웃대기도 싫었지만 어쩌다 들여다볼 때면 이러면서 손사래를 쳤다. 집에서 그런 구질구질한 냄새를 피우기가 싫어서 그렇게 외식을 좋아했는지도 모르겠다. 마침내 다 된 밥과 끓고 익어가는 반찬의 냄새가 어우러져 더 이상 좋을 수는 없는 절정에 달했다. 오장육부가 아우성치듯 맹렬한 식욕이 솟구쳤다. 그러나 꾹 참고 식탁 위에다 격식을 차려 밥상을 차렸다. 나는 반듯하게 차린 밥상을 받으며 자랐다는 자의식이 아무도 보는 사람 없는 데서도 그런 절차를 생략할 수 없도록 했다. 일단 상차림이 끝나자 짐승처럼 게걸스럽게 먹기 시작했다. 그렇게 맛있는 식사는 생전 처음이었다. 나에게 음식 솜씨가 있다는 것은 놀라운 발견이었다. 이 나이에도 내 안에 발견할 게 남아 있었다는 건 또 얼마나 신선한 충격이던지.

— 박완서, 《아주 오래된 농담》 중에서

보헤미안 스캔들

셜록 홈즈에게 그녀는 언제나 '그 여자'였다. 그녀를 다르게 부르는 일은 거의 없었다. 홈즈에게 그녀는 다른 여성들의 빛을 모두 무색하게 만드는 존재처럼 보였다. 그렇다고 그가 아이린 애들러에게 사랑 비슷한 감정을 느꼈다는 것은 아니다. 냉정하고 정확하고, 감탄할 만큼 균형 잡힌 정신을 가진 홈즈는 모든 감정, 그중에서도 연애 감정만큼은 아주 끔찍하게 여겼다. 내가 볼 때 홈즈는 세상 누구보다 관찰력과 추리력이 뛰어났지만, 연애만큼은 소질이 없는 것 같았다. 그가 달콤한 애정을 이야기할 때면 언제나 그에 입술엔 조롱과 비웃음이 걸려 있었다. 감정은 때론 인간의 숨은 동기나 행동을 파악하는 데 효과적이다. 하지만 논리적 사고에 익숙한 사람이 섬세하고 정교하게 구축된 자신의 정신

세계에 감정 요소를 들여놓기란 쉽지 않다. 본인의 논리적 결과물을 의문투성이로 만들어버릴 수도 있기 때문이다. 홈즈 같은 사람에게 강렬한 감정이란, 예민한 악기에 들어간 모래나 그가 가진 고성능 렌즈에 생긴 균열 이상으로 큰 문제를 불러올 만한 것이었다. 그러나 그에게도 한 여자가 있었으니, 바로 여전히 의혹으로 둘러싸인 고故 아이린 애들러다.

　나는 최근에는 홈즈와 만나지 않았다. 결혼을 하면서 자연스레 홈즈와 떨어져서 지냈다. 가정을 이룬 나는 더없이 행복했고, 집을 중심으로 벌어지는 많은 일들에 모든 관심을 기울이고 있었다. 그러는 동안, 홈즈는 완전히 보헤미안 영혼을 가진 사람이 되어 세상 일과 사람들과의 교제는 뒤로 하고, 베이커 가에 남아 고서 속에 파묻혀 지내고 있었다. 그는 몽롱함과 열정 사이를 헤매고 다녔는데, 한 주는 코카인에 빠져 지내고, 또 한 주는 격렬하고 날카로운 본성을 따라 열정적으로 일을 하며 지내곤 했다. 항상 그랬듯이 홈즈는 범죄 연구에 깊이 매료되어 있었다. 경찰도 손을 놓은 미스터리 사건을 홈즈는 특유의 관찰력과 탁월한 추리 능력으로 단서를 찾아내어 사건을 말끔히 해결하곤 했다.

— 아서 코난 도일Arthur Conan Doyle, 〈보헤미안 스캔들〉,

《셜록홈즈의 모험》 중에서

타원형 거울

1. 현상 모집

경성京城에서 발간되는 탐정소설 잡지 〈괴인傀人〉은 그 10월호에 다음과 같은 현상모집 광고를 실었다.

출제자의 말

본사 발행의 〈괴인〉이 창간 이래 불과 1주년도 못 돼서 이와 같은 장족의 발전을 본 것은 참으로 독자 여러분의 뜨거운 성원과 끊임없는 편달에 힘입은 바가 큰 것으로서 본사 일동은 고맙기 그지없는 일로 생각하고 있습니다. 이에 본사는 조금이라도 독자 여러분의 고마운 뜻에 보답코자 오는 1935년의 신년호, 곧 〈괴인〉 창간 1주년 기념호에 발표하는 글을 현상모집하려고 합니다.

비록 적은 액수라는 서운함이 있기는 하지만 정해자正解者

에게는 다음에 적은 상금을 드리기로 하고 있습니다. 요컨대 이 현상 문제는 당국에서 미궁 사건으로서 흐지부지하게 묻어버린 문제의 '도영桃英 살해 사건'입니다.

그 사건은 여러분께서도 잘 아시는 바와 같이 지금으로부터 5년 전 평양에서 저질러진 참극으로서 아직도 누가 범인인지, 그리고 어떤 방법으로 살인이 저질러졌는지, 전혀 미해결인 채로 남아 있습니다. 탐정소설 애독자는 물론이고 탐정 여러분 및 사회 일반의 응모가 있으시기를 간절히 바라 마지않습니다.

2. 도영 살해 사건의 내용

(가) 범죄지_ 평양

(나) 범죄 일시_ 1929년 5월 25일 오전 1시 25분께

(다) 관계 인물__ 모현철(毛賢哲, 38세): 소설가

　　　　　　　　도영(桃英, 28세): 모현철의 아내

　　　　　　　　유광영(劉光影, 27세): 신진 시인

　　　　　　　　청엽(淸葉, 51세): 노비, 중국 여인

　　　　　　　　계옥(桂玉, 19세): 노비, 청엽의 딸

(라) 범행 현장 및 주위 상황

　편의상 범행 현장인 모현철 씨네 집안 약도를 싣기로
한다.

　약도가 가리키고 있는 바와 같이 북쪽은 길을, 동쪽
은 길을 사이에 두고 대동강을 바라보고 있고, 남쪽과
서쪽은 나무 울타리를 사이에 두고 이웃집과 이어지고
있다. 나무 울타리에는 미루나무가 가지런히 서 있고,

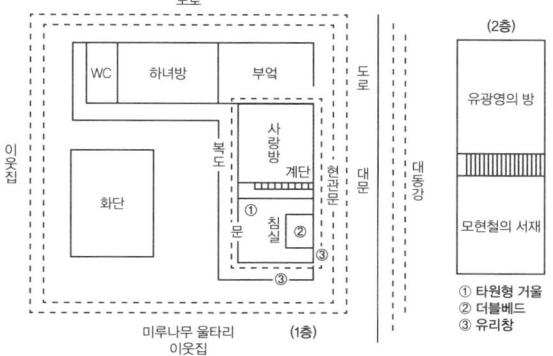

정원 한복판쯤에 화단이 있다. 먼저 대문으로 들어서면 현관, 현관에서 복도를 따라 방 하나하나로 통하게 돼 있다. 침실에서 부엌에 이르는 곳까지의 위쪽이 2층 구조로 돼 있고, 침실과 현관의 위쪽이 모현철 씨의 서재

이며, 계단을 사이에 두고 사랑방 위쪽이 유광영 씨의 방이고, 부엌 위쪽은 비어 있다.

이 집은 건물 전체가 벽돌집이고, 아래층에 있는 각 방은 온돌로 꾸며져 있는 외에는 전체가 서양식으로 돼 있다. 그런데 도영이 살해된 방은 현관 바로 곁에 있는 세 평 남짓한 침실인데, 남쪽은 모두 유리창이고 동쪽 은 벽 중간까지가 유리창이 마련돼 있으며, 양쪽 창문 에는 똑같은 물빛 커튼이 걸려 있다. 동쪽 벽 창문 밑에 더블베드가 놓여 있고, 그 침대 위에는 세계문학전집 가운데 《춘희春姬》가 반쯤 펼쳐진 채로 엎어져 놓여 있 다. 그리고 머리맡 쪽에는 옷장이 있고, 치마와 저고리, 그리고 살갗빛 명주 양말이 한 짝만 달랑 걸려 있다. 서 쪽에는 문이 달려 있고, 북쪽 벽 한가운데에는 타원형

몸거울을 사이에 두고 매화와 대나무를 그린 묵화 두 폭이 양쪽에 걸려 있다. 그 밖에 사발 시계와 부인 잡지를 얹은 테이블이며 등나무 의자와 같은 가구 집기가 있는데, 그 위치에 관해서는 약도를 참조해주기 바란다.

— 김내성, 《타원형 거울》 중에서

달 을 쏘 다

윤동주

번거롭던 사위四圍가 잠잠해지고 시계 소리가 또렷하나 보니 밤은 저윽이 깊을 대로 깊은 모양이다.

보던 책자를 책상 머리에 밀어놓고 잠자리를 수습한 다음 잠옷을 걸치는 것이다.

'딱' 스위치 소리와 함께 전등을 끄고 창녘의 침대에 드러누우니 이때까지 밝은 휘양찬 달밤이었던 것을 감각치 못하였었다.

이것도 밝은 전등의 혜택이었을까.

나의 누추한 방이 달빛에 잠겨 아름다운 그림이 된다는 것보담도 오히려 슬픈 선창船艙이 되는 것이다.

창살이 이마로부터 코마루, 입술, 이렇게 하얀 가슴에 여맨 손등에까지 어른거려 나의 마음을 간지르는 것이다.

옆에 누운 분의 숨소리에 방은 무시무시해진다.

아이처럼 황황해지는 가슴에 눈을 치떠서 밖을 내다보니 가을 하늘은 역시 맑고 우거진 송림은 한 폭의 묵화다. 달빛은 솔가지에 쏟아져 바람인양 솨- 소리가 날 듯하다. 들리는 것은 시계 소리와 숨소리와 귀또리 울음뿐 벅쩍대던 기숙사도 절간보다 더 한층 고요한 것이 아니냐? 나는 깊은 사념에 잠기우기 한창이다.

딴은 사랑스런 아가씨를 사유할 수 있는 아름다운 상화^{想華}도 좋고, 어릴 적 미련을 두고 온 고향에의 향수도 좋거니와 그보담 손쉽게 표현 못할 심각한 그 무엇이 있다.

바다를 건너온 H 군의 편지 사연을 곰곰 생각할수록 사람과 사람 사이의 감정이란 미묘한 것이다.

감상적인 그에게도 필연코 가을은 왔나 보다.

편지는 너무나 지나치지 않았던가, 그중 한 토막,

'군아, 나는 지금 울며울며 이 글을 쓴다.

이 밤도 달이 뜨고, 바람이 불고, 인간인 까닭에 가을이

란 흙냄새도 안다.

정의 눈물, 따뜻한 예술학도였던 정의 눈물도 이 밤이

마지막이다.'

또 마지막 켠으로 이런 구절이 있다.

'당신은 나를 영원히 쫓아버리는 것이 정직할 것이오.'

나는 이 글의 뉘앙스를 해득할 수 있다.

그러나 사실 나는 그에게 아픈 소리 한마디 한 일이 없

고 서러운 글 한 쪽 보낸 일이 없지 아니한가.

생각건대 이 죄는 다만 가을에게 지워 보낼 수밖에 없다.

홍안서생으로 이런 단안을 내리는 것은 외람한 일이나 동무란 한낱 괴로운 존재요, 우정이란 진정코 위태로운 잔에 떠 놓은 물이다.

이 말을 반대할 자 누구랴.

그러나 지기知己 하나 얻기 힘든다 하거늘 알뜰한 동무 하나 잃어버린다는 것이 살을 베어내는 아픔이다.

나는 나를 정원에서 발견하고 창을 넘어 나왔다든가 방문을 열고 나왔다든가 왜 나왔느냐 하는 어리석은 생각에 두뇌를 괴롭게 할 필요는 없는 것이다.

다만 귀뚜라미 울음에도 수줍어지는 코스모스 앞에 그
윽이 서서 딱터 삐링스의 동상 그림자처럼 슬퍼지면 그
만이다.

나는 이 마음을 아무에게나 전가시킬 심보는 없다.

옷깃은 민감이어서 달빛에도 싸늘히 추워지고 가을
이슬이란 선득선득하여서 서러운 사나이의 눈물인 것
이다.

발걸음은 몸뚱이를 옮겨 못가에 세워줄 때 못 속에도
역시 가을이 있고, 삼경三更이 있고, 나무가 있고, 달이
있다.

그 찰나, 가을이 원망스럽고 달이 미워진다.

더듬어 돌을 찾아 달을 향하여 죽어라고 팔매질을 하

였다.

통쾌! 달은 산산이 부서지고 말았다.

그러나 놀랐던 물결이 잦아들 때 오래잖아 달은 도로 살아난 것이 아니냐, 문득 하늘을 쳐다보니 얄미운 달은 머리 위에서 빈정대는 것을….

나는 곳곳한 나뭇가지를 고나 띠를 째서 줄을 메워 훌륭한 활을 만들었다.

그리고 좀 탄탄한 갈대로 화살을 삼아 무사武士의 마음을 먹고 달을 쏘다.

심 청 전

황후가 3년 동안을 용궁에서 지내다 보니 아버지의 얼굴이 가물가물하여 물어보았다.

"처자는 있으신가요?"

심봉사가 땅에 엎드려 눈물을 흘리면서 여쭈었다.

"여러 해 전에 아내를 잃고, 초칠일이 못 지나서 어미 잃은 딸이 하나 있었습니다. 제가 눈이 어두운 몸으로 어린 자식을 품에 품고 동냥젖을 얻어먹여 근근이 길러내어 점점 자라면서 효행이 뛰어나서 옛사람을 앞서더니, 요망한 중이 와서,

'공양미 삼백 석을 시주하면 눈을 떠서 볼 것입니다.'

하니 저의 딸이 듣고,

'어찌 아비 눈뜨리란 말을 듣고 그저 있으리오.'

하고, 다른 길로는 공양미를 마련할 길이 전혀 없어 저

도 모르게 남경 뱃사람들에게 3백 석에 몸을 팔아서 인당수에 제물로 빠져 죽었는데, 그때 나이가 열다섯이었습니다. 눈도 뜨지 못하고 자식만 잃었사오니 자식 팔아먹은 놈이 세상에 살아 쓸데없으니 죽여주옵소서.”

황후께서 들으시고 눈물을 흘리며, 그 말씀을 자세히 들으니 분명히 아버지인 줄을 알 수 있었다. 아버지와 딸 사이의 천륜에 어찌 그 말씀이 끝나기를 기다렸겠는가마는 자연 이야기를 만들자 하니 그렇게 되었던 것이었다. 그 말씀을 마치자 황후께서 버선발로 뛰어 내려와서 아버지를 안고,

“아버지, 제가 정녕 인당수에 빠져 죽었던 심청이어요.”

심봉사가 깜짝 놀라,

“이게 웬 말이냐?”

하더니 어찌 반갑던지 뜻밖에 두 눈에서 딱지 떨어지는 소리가 나면서 두 눈이 활딱 밝았다. 그 자리에 가득 모여 있던 맹인들이 심봉사 눈뜨는 소리에 일시에 눈들이 뜨이는데, '희번덕, 짝짝' 까치새끼 밥 먹이는 소리 같았다. 뭇 소경이 밝은 세상을 보게 되고, 집 안에 있는 소경, 계집 소경도 눈이 다 밝고, 배 안의 소경 배 밖의 맹인, 반소경 청맹과니까지 모조리 다 눈이 밝았으니, 맹인에게는 천지개벽이나 다름없었다.

심봉사가 반갑기는 반가우나 눈을 뜨고 보니 도리어 처음 보는 얼굴이라, 딸이라 하니 딸인 줄 알지마는 한 번도 보지 못한 얼굴이라 알 수가 있나. 하도 좋아서 죽을 둥 살둥 춤추며 노래한다.

얼씨구 절씨구 지화자자 좋을씨구

홍문연 높은 잔치에 항우가 아무리 춤 잘 춘들 내 춤을
어찌 당하며,

한고조가 말 위에서 천하를 얻을 제 칼춤 잘 춘다 할지
라도, 어허 내 춤 당할소냐.

어화, 창생들아 아들 낳기 힘쓰지 말고 딸 낳기를 힘쓰
시오.

죽은 딸 심청이를 다시 보니

양귀비가 죽었다가 다시 살아난가,

우미인이 도로 살아서 돌아온가,

아무리 보아도 내 딸 심청이지.

딸 덕으로 어두운 눈을 뜨니 해와 달이 다시 밝아 더욱

좋도다.

별이 뜨고 구름이 이니 온갖 만물이 즐겨한다.

태평세월 다시 보니 얼씨고 좋을시고.

'아들 낳기 힘쓰지 말고 딸 낳기를 힘쓰라' 함은 나를 두
고 이름이라.

— 《심청전》 완판 71장본 중에서

사랑하기 좋은 날 이금희입니다

〈오프닝〉

우리는 하루에도 수십 번, 수백 번,

선택의 갈림길 위에 서게 됩니다.

한다, 하지 않는다

간다, 가지 않는다.

된다, 되지 않는다.

내 선택이 늘 본능만을 따르는 건 아니죠.

하고 싶지만 하면 안 되는 게 있고,

가고 싶지만, 가면 안 되는 상황에, 놓일 때도 있고요.

부정보다 긍정의 선택이 많을수록,

내 마음 건강에 더 좋다는데, 쉽지 않은 얘기죠.

그래서, 길을 내줄 필요가 있답니다.
한다, 간다, 된다는 대답이 나올 만한 일들을
찾아내 안겨주는 것. 만들어 떠올리는
사소하고 작은 것쯤은, 뭐든 있지 않겠어요?

사랑하기 좋은 날 이금희입니다.

〈2부〉

이유 없이, 특별한 사건이나 문제 없이도, 마음이 땅바닥 저 끝까지 툭- 떨어져 나를 지치게 하는 날이 있다.
일이 내 뜻대로 잘 풀리지 않았다거나, 내가 한 일이 아님에도 누군가의 잘못을 대신 뒤집어썼다거나, 차라리 무슨 말썽이 생겨 가슴에 구멍이 난 거라면, 원인이 있으니 해결 방법 또한 쉽게 찾아낼 수 있을 텐데.

벌써부터 아직 채 오지도 않은 봄을 타기 시작한 건지, 내년이면 내 나이도, 앞자리가 숫자 4로 바뀐다는 불안감 때문인 건지, 며칠이나 이어진 알 수 없는 무기력함

에, 퇴근하고 집에 돌아와 그대로 추욱–… 해파리마냥
늘어져 있는 내게, 친구가 무슨 일이냐고, 안부전화를
걸어온 거다. 깨톡 프로필 사진이 '없음'으로 뜨는 걸 보
고, 연락을 안 하려야 안 할 수가 없었다고.

(나/여) "몰라. 우울해. 재미없어. 다 귀찮아. 다 싫어."

투정 듬뿍 섞어 불평불만 늘어놓는 내게, 친구가 말했다.

(친구/여) "안 되겠네. 내가 지금 갈 테니까, 너 옷 갈아
입지 말고 딱 기다려."

남편한테 아이까지 맡겨놓고, 우리 집까지 한걸음에 달

려온 내 친구. 자기 집 냉장고에 있는 온갖 식재료 싹 다 챙겨 들고 와선, 밤늦은 시간. 갑자기 요리를 해대기 시작했다.

(eff. 요리하는 소리 지글지글 뭐 좀 썰고)

(친구/여) "우울할 땐, 잘 먹는 게 최고야. 사는 거 뭐 있냐? 잘 먹고 잘 자고! 그거면 되는 거지. 먹는 건 그렇다고 치고, 잠은 잘 자는 거야?"

[BG UP & DOWN]

맛있는 냄새 솔솔 풍기며 나를 위해 주방을 초토화! 시키는 친구 뒷모습 바라보며 '몰라!' 퉁명스럽게 툭 내뱉고는, 옷 좀 갈아입겠다는 핑계로 자리를 피해버렸다.

방문 밖에선 친구의 흥얼대는 노랫소리가 들려오고, 문만 열고 나가면 나를 반겨줄 누군가 있다는 게 왜 그렇게 마음 뭉클하던지.

그래서 느꼈다. 나는 우울했던 게 아니라, 그저 외로웠던 거구나. 오랜만에 누군가와, 우리집 식탁에 마주 보고 앉아, 한참을 깔깔대며 떠들고, '이러다 식겠다. 얼른 먹자' 하며 허기진 배를 채우고, 별거 아닌 사소한 일상에도, 이렇게나 크게 웃을 수 있는 것을.

사람만 한 피로회복제가 없다는 걸, 왜 자꾸 잊게 될까.

〈클로징〉

사랑하기 좋은 날 이금희입니다.
모두 마칠 시간입니다.

(오늘 끝 곡) 들려드리면서, 인사할게요.
고맙습니다. 이금희였습니다.
사랑하기 좋은 날이었습니다.

— 강혜정, 〈사랑하기 좋은 날 이금희입니다〉
라디오 대본 중에서

낭독으로 여러분을 만나며 자주 받는 질문과
답변을 모았습니다. 낭독의 여정이 외롭고
힘들지 않도록, 이론과 실전 모두에서 활용할 수
있는 팁을 알려드립니다.

4장

우리들의 목소리

녹음한 목소리를 다시 들어보면 제 생각과는 달리 발음이 어눌하고 목소리에 힘이 없어요. 왜 그럴까요?

'내가 이렇게 딱딱하게 말하는 사람이었나?'

'왜 예쁜 척하면서 말하지? 가식적이야.'

'허파에 바람이 빠진 것처럼 소리에 힘이 하나도 없네... 답답하다.'

낭독 첫 수업을 마치고 목소리를 녹음하여 들어본 학생들의 소감입니다. 사실 처음부터 '내 목소리 참 괜찮다'는 반응은 나오기 힘들지요. 들어볼 일이 많지 않았기 때문입니다. 그러니 낯설고 어색한 것이 당연합니다. 하지만 내 목소리에 익숙해진 뒤에도 어눌하고 힘

없이 느껴진다면 다음 방법으로 조금씩 연습해보면 어떨까요?

① 한두 쪽 정도의 텍스트를 정해서, 모음만 큰 소리로 읽어봅니다. '녹음한 목소리를 다시 들어보면 제 생각과는 달리 발음이 어눌하고 목소리에 힘이 없어요. 왜 그럴까요?'를 'ㅗ─ㅏ ㅗㅗ ㅣ ─ㅏ ㅣ ─ㅓㅗㅕㅔ ㅐㅏㅘ─ㅏ ㅣ ㅏ─ㅣ ㅓㅏㅜㅗㅗ ㅗ ㅣ ㅔㅣ ㅣ ㅓ ㅓㅛ. ㅐ─ㅏㅛ?'로 읽는 것입니다. 과장될 정도로 입을 크게 벌리고, 아랫배에 힘을 실어 소리냅니다. 이중모음에도 유의하고요.

② 다음은 자음만 큰 소리로 읽어봅니다. 같은 문장을 'ㄴㅇㅎ ㅁㅅㄹㄹ ㄷㅅ ㄷㅇㅂㅁ ㅈ ㅅㄱㄴ ㄷㄹ ㅂㅇㅇ ㅇㄴㅎㄱ ㅁㅅㄹㅇ ㅎㅇ ㅇㅇㅇ. ㅇ ㄱㄹㄲㅇ?'로 읽는 것이지요. '니은 이응 히읗' 하고 읽어도 좋고, '나아하 마사라라' 하며 적당한 모음을 붙여 읽어도 좋습니다.

③ 자음과 모음의 조합을 한 글자씩 더해가며 읽는 것입니다. '녹, 녹음한, 녹음한목, 녹음한목소, 녹음한목소리, 녹음한목소리를…' 하는 식으로요.

역시 입을 가로 세로로 크게 벌려주고 아랫배의 힘을 유지해야 합니다. 의미구조가 아닌 발음 연습이기 때문에 조음기관의 감각에만 집중하세요.

④ 위의 모든 과정을 녹음하고 들어봅니다. 내가 정확한 소리를 내고 있는지, 어떤 소리를 어떻게 내는지, 빠르거나 느리지는 않은지 귀를 여는 과정입니다. 자신의 상태를 알아차렸다면 모니터링한 것을 토대로 대본에 체크한 후 신경 써서 연습하고, 다시 들어보기를 반복해 봅시다.

낭독을 하다 말고 눈물이 자꾸 나서 걱정입니다.
저도 모를 감정에 겨워 펑펑 울어버린 적도 있어요.
제가 이상한 것일까요?

나이가 들어서일까요, 우리의 이름과 얼굴은 모두 다르지만 사는 모양새는 별반 다르지 않음을 느낍니다. 태어나 네 발로 기다가 두 발로 걸어 학교로, 어느새 생계를 책임지는 사회인이 되고, 결혼하고, 아이를 낳고… 사회에서 때맞춰 울리는 알람에 따라 허둥지둥 뛰어다녔던 걸 알아차리고 흠칫 놀라곤 하지요. 내 마음이 외치는 소리에는 귀를 닫고, 물기 없이 파삭해진 감정으로 말이에요.

답을 이제야 드리자면 전혀요. 이상하지 않습니다. 그동안 숨겨두었을 뿐 원래의 '나'는 감정 그 자체라고 할 수 있기 때문이에요.

오늘 소리 내어 읽은 글과 비슷한 사연이 내게 있을 수도 있고, 울컥할만한 기억이 다시 떠오르기도 했을 거예요. 또는 겪은 적도, 본 적도 없는 일이지만 작가가 정성껏 마련한 감정선에 공감하기도 했을 것이고요.

강의 중 제가 학생들로부터 가장 많이 들은 말은 '낭독으로 마음이 치유됐어요'였습니다. 잠시 제쳐두었던 감정이 웃음이든, 눈물로든 밖으로 터져 나온다면 더할 나위 없이 건강한 치유법이 아닐까 싶습니다. 여유가 있다면 자신이 흘린 눈물의 근원에 대해 성찰해 보는 것도 좋겠지요. 감정의 움직임에 충분히 공감하며, 내면에서 보내오는 신호에 깨어있기를 빕니다.

더 예쁜 목소리를 내려고 기교를 부리느라 내용에 집중하지 못합니다. 제 머릿속에는 '낭독' 하면 떠오르는 매끄러운 목소리가 남아있거든요. 어떻게 하면 제 고유의 소리를 찾을 수 있을까요?

낭독은 성우나 아나운서, 연예인만 할 수 있는 게 아니라는 말을 하고 싶어요. 요즘 미디어에서는 자연스러운 목소리를 더욱 선호하기도 하고요. 일반인들의 소탈한 낭독을 들을 때 가슴이 뻐근하게 울려올 때가 더 많습니다. 어떤 사람이든 자기의 목소리를 찾고 잘 맞는 텍스트를 만난다면 최고로 잘 할 수 있는 것이 낭독이지요.

중저음의 톤에 다소 거친 결을 가진 학생이 있었습니다. 하지만 높고 고운 미성을 선망하는 마음에 성대를 좁혀서 소리를 내곤 하셨다고 합니다. 혹사당한 성대에는 결절이 생겼고 저를 만났을 때는 성대의 움직임도 원활하지 않았어요. 이 학생의 경우, 갖고 싶은 소리와 지금 나의 소리를 객관적으로 바라볼 수 있게 하는 것이 먼저였습니다. 그 후 자신의 톤에서 안정적인 호흡을 찾고, 오랜 시간 낭독해도 성대가 지치지 않을 수 있는 훈련을 거치며 자신의 소리를 찾아갔습니다.

닮고자 하는 목소리를 흉내 내기에 앞서 확인해야 할 것이 몇 가지 있습니다.

- 내 목소리의 톤Tone과 결
- 말의 빠르기
- 호흡의 길고 짧음
- 내 목소리의 장점과 단점

아는 만큼 보인다는 말처럼, 나 자신을 알고 내 몸과 마음이 깨달음에 이르는 것이 먼저입니다.

누군가의 목소리를 흉내 내는 것은, 초반에는 잘하는 것처럼 들리지만 갈수록 발음과 표현의 한계가 드러납니다. 목이 쉽게 피로해지고 입 주변도 아파오지요. 이처럼 발음, 발성, 호흡을 기술적으로만 접근하는 분들이 많습니다.

안타깝지만 내가 가까워질 수 있는 목소리에는 한계가 있습니다. 이럴 때 저는 역설적으로 모사훈련을 하라고 권합니다. 연예인, 성우, 아나운서 등 소리를 직업으로 삼는 유명인을 목표로 삼아 방송으로 단련되고 잘 다듬어진 사람의 발성과 발음을 따라해보는 것입니다. 이때 중요한 것은 유명인의 목소리가 내 목소리와 비슷한 톤이어야만 효과가 있습니다. 그렇지 않다면 여태 해왔던 '흉내내기'에 그치고 맙니다. 평소 자신과 생김새가 닮았다는 소리를 듣는 사람을 정해도 좋습니다. 골상과 조음기관이 비슷하게 생기면 목소리도 유사하기 때문입니다. 아직 객관적으로 판단할 힘이 부족하다면 주변 사람들에게 롤모델의 목소리를 들려주고, 내 목소리와 비슷한지 확인해 볼 수도 있습니다.

**호흡을 조절하고 집중하는 법이 어렵습니다. 어디서
멈춰야 하고 어디까지를 붙여서 읽어야 할지 고민이고요.
성우들은 어떻게 연습하나요?**

　호흡이 부족하다고 느껴지는 순간 내용과 감정은 어디론가 흩어지고 물속에서 살려고 버둥대듯 그저 빠르게 읽어내려가기에 급급해지는 것을 경험합니다. 그런데 평소 우리는 호흡을 의식하며 살지 않아요. 즐겁게 이야기할 때를 떠올려 보면 신체에는 전혀 문제가 없다는 것도 알 수 있습니다. 결국 낯선 텍스트로 인한 긴장과 두려움이 호흡에 영향을 주는 것이에요.

　성우는 처음 보는 글도 누구보다 빨리 분석하고 소화해서 표현해야 하는 직업입니다. 성우 초창기 시절에는 현장에서 바로 대본을 받아 녹음하는 것이 참 힘든 숙제였어요. 한 선배는 한 대본을 100번씩 읽으라는 조언을 하시더라고요.

맞습니다. 무조건 많이 읽어보고 녹음해서 모니터링하고, 또 수정하는 시간을 거듭해야 글이 내 눈에 본능적으로 들어오는 때가 옵니다. 하지만 이렇게만 이야기하면 막막할 거예요.

① 먼저 묵독에서 시작하세요.
② 묵독을 마친 후에야 입 밖으로 소리 내어 읽는데, 이때는 텍스트에만 집중해서 읽어보세요.
③ 읽다가 이해가 가지 않는 부분에서는 잠시 멈추세요. 앞뒤 문맥을 살펴 뜻을 파악합니다. 온전히 와닿도록 몇 번 더 반복해서 읽어요.
④ 발음이 힘든 부분에서는 장·단음과 발음 기호를 찾아서 입에 잘 붙을 때까지 읽어봅니다. 연필로 체크해 두는 것도 좋습니다.
⑤ 그리고 다시 처음부터 읽는데, 이번엔 '텍스트를 완전히 이해한 나'로서 낭독해 봅니다.
⑥ 3분~5분 정도 녹음을 한 후, 눈을 감고 내 낭독이 귀에 잘 전달되는지 소리만 들으며 모니터링합니

다.

⑦ 이번에는 텍스트에 눈을 두고, 귀를 열어 소리를 들으며 비교합니다. 내용에 맞게 잘 읽고 있는지, 끊어 읽기와 붙여 읽기, 어색한 부분은 없는지 확인하세요.

⑧ 만약 어색한 곳이 있다면 그 부분을 신경 써서 녹음하고, 다시 들어봅니다.

텍스트와 친해져서 나의 마음이 글과 함께 흐르게 하면 어느새 긴장이 줄어들고 편안한 상태가 찾아옵니다. 그러면 쉬어야 할 때를 자연스레 찾아 안정적으로 호흡할 수 있을 것입니다.

저도 모르게 오독誤讀을 하고 있습니다. 글에만 집중하려고 노력하는데도 어느새 또 틀리고 말아요. 해결 방법이 있을까요?

낭독 강의에서 만나는 분들에게 첫 시간에 꼭 드리는 이야기가 있습니다. 오늘 여기서만큼은 잘하려는 마음을 잠시 내려놓자고요.

한 번도 배우지 않고 해보지 않은 걸 어찌 잘할 수 있겠어요. '틀리지 말아야지. 절대 틀리면 안 돼.'라는 생각도 긴장감을 불러일으키고, 나도 모르게 그 부정적인 생각에 사로잡힙니다. 영상과 음성정보에 익숙해져 있던 그간의 생활에서 금방 빠져나오기도 어려울 것이고요. 그럴 때는 어수선하게 뻗친 감각을 정리해서 나와 텍스트에만 집중한다면 오독을 줄이는 데 도움을 받을 수 있을 거예요.

먼저 낭독 전에 충분한 초독初讀이 필요합니다. 작가의 표현과 문장이 내 입에 붙을 때까지 반복해서 연습합니다. 문장의 끝, 마침표에 잠시 머물러 다음 문장을 눈과 마음으로 충분히 담는 시간을 가져요.

그리고 오독이 생기는 곳을 연필로 체크합니다. 문장에 없는데 튀어나오는 단어가 있는지, 무심결에 읽지 않고 넘어가는 단어가 있는지 그 부분을 반복해 읽어봅니다. 스스로는 미처 몰랐던 말의 습관이 있는지도 느껴봅시다. 이번 시간을 계기로 습관을 바로잡을 수 있다면 더 좋겠지요. 이 과정을 거치며 스스로 알아차린 다음, 다시 책을 들고 낭독한다면 오독이 훨씬 줄어들 것입니다.

암송의 장점이 있을까요?

그럼요. 저는 특히 낭독을 처음 접하시는 분에게 암송을 추천합니다. 텍스트를 보지 않고 외워서 말하려면 시간을 많이 투자해야 할 뿐 아니라, 스스로 이미지를 만들고 떠올리며 그 내용에 대해 깊게 고민하는 시간을 가질 수 있기 때문입니다. 이를 '언어 연쇄'라고 합니다. 눈으로 읽고, 머리로 인식하고, 다시 입을 열어 정보를 꺼내는 언어 연쇄가 유기적으로 일어나면 이해력과 언어능력 모두 향상됩니다.

단어와 문장을 여러 번 반복해 읽다 보면 나만의 호흡을 찾을 수 있고, 몸으로 기억하게 됩니다. 마치 어릴 때 자전거 타는 법을 익히고 나면 시간이 한참 흐른 뒤에도 연습할 필요 없이 다시 잘 탈 수 있는 것처럼 말이에요.

하지만 암송은 쉽지 않습니다. 궤도에 오르기 전까지는 텍스트와 나와의 싸움으로 느껴질 수도 있고, 눈으로만 읽는 독서법에 비해 에너지를 많이 소모하기도 합니다. 암송의 재미를 느끼기도 전에 '불편한 훈련'이라고 느껴 쉽게 포기할 수도 있지요.

먼저, 오래 간직할만한 글을 골라 연습합니다. 쉽게 흥미가 생기지 않는 글은 동기부여가 일어나지 않고 쉽게 지루해져요. 암송 훈련은 하루 열 줄 내외를 권합니다. 힘들게 외운다는 생각 없이 몇 번 반복해서 읽으며 기억하기 좋은 분량입니다. 뜻이 맞는 친구들과 모임을 만들어 서로 용기를 북돋우며 꾸준히 이어나가도 좋겠습니다.

저는 발표가 두렵습니다. 목소리가 작고, 발음도 좋지 않습니다. '잘 안 들린다'는 말을 들으면 울컥하고 심장도 빨리 뛰고요. 다음에는 잘할 수 있다고 다짐해 보지만 막상 평가받는 자리에 서면 마음이 너무나 위축됩니다.

저는 강연이나 방송 출연이 잦습니다. 하지만 어릴 때부터 외향적이고 활달하지는 않았어요. 오히려 사람들 앞에서 뭔가 하는 것을 부끄러워하는 편이었지요. 제 경험을 바탕으로 몇 가지 조언을 드릴게요.

먼저 자음보다는 '아에이오우'와 같은 모음이 발음에 더 영향을 줍니다. 그러니 입을 가로 세로로 확실히 벌려 말해보세요. 입과 혀가 부드럽게 움직일 수 있도록 스트레칭도 하고요. 커다란 나팔이 더 큰 소리를 내듯이, 입을 덜 벌리면 소리가 쭉 뻗지 않고 안에서만 맴돌니다. 그러면 발음이 뭉뚝해지고 결국 전달력이 떨어지 겠지요.

말의 속도와 호흡도 확인할 필요가 있습니다. 발표를 빨리 끝내버리려는 마음으로 속사포처럼 내뱉고 있지는 않은가요? 내가 발표해야 할 내용을 천천히 반복하며 읽어보고, 차차 속도를 올려서 연습합니다. 쉼표와 온점 사이에서 배가 부풀게 숨 쉬고, 크게 내쉬며 말하는 것이 더 큰 울림을 줍니다.

다음은 연습입니다. 성대는 연약한 근육이어서 긴장하면 떨리기도 하고, 입안에서 침이 말라 발음이 어려워집니다. 당연히 목소리는 밖으로 나오기 힘들지요.

하지만 말할 준비가 충분히 된 상태에서 내가 잘 아는 주제로 이야기를 할 수 있다면 조금 더 능숙하게 전달할 수 있을 것입니다. 그러려면 사전 연습이 필요하겠지요. 대본을 완벽히 외우라는 뜻은 아닙니다. 간신히 암기한 내용을 인출하느라 미간을 찌푸리고 한 점만 응시한다거나, 너무 긴장한 나머지 머리가 하얗게 되어 같은 말만 반복하는 실수를 막으려면 중요한 키워드를 먼저 눈과 머리에 담고 여기에 살을 붙여나가는 것이 좋습니다. 처음에는 대본을 참고해가며 연습하다가 어느 정도 익숙해지면 보지 않고 이어나가도록 합니다.

마지막은 자신감입니다. 이 책의 제목이 '나에게, 낭독'인 이유는 나 혼자 낭독을 하다 보면 점점 자신의 목소리와 친숙해지기 때문이에요. 목소리에 힘이 생기고, 조금씩 내면의 치유가 일어나면 그때부터 안정되고 자신 있는 목소리가 나오기 시작합니다. 목소리는 영혼의 울림이니까요. 스스로 자신감이 생기면 남과 비교하지 않고 '오늘 내가 준비한 것만 잘하고 오자'는 마음으로 이어집니다. 때론 실수할 때도, 어색해서 반응이 좋지 않을 때도 있겠지만 내가 이야기하고자 하는 내용에 자신감을 가지세요.

저도 40년간 낭독을 해 왔지만 늘 새롭고 떨립니다. 예전에 MBC '놀러와'라는 예능에 출연한 적이 있었는데, 1시간 분량의 프로그램을 12시간 동안 녹화했어요. 간식도 먹고, 하고 싶은 말 다 하고 원하는 만큼 실컷 놀게 하더라고요. 그렇게 긴장을 풀고 신나게 이야기하고 나니 방송에서의 저는 참 자유롭고 재미있어 보였어요.

이야기하는 사람이 편안해야 듣는 사람도 그 감정에 공감하며 들을 수 있거든요. 질문자 역시 작은 성취감부터 시작해서 스스로 만족할만한 경험을 쌓아나가다 보면 여유 있게 발표할 수 있으리라 생각합니다.

요즘 귀로 듣는 책이 늘어나서 좋습니다. 저도 듣는 것에서 그치지 않고 오디오북을 녹음해보고 싶습니다. 북 내레이터 활동에도 관심이 많고요. 초보자가 알아두면 좋을 내용에는 어떤 것이 있을까요?

   북 내레이션은 책 속의 글을 꺼내어 말로 들려주는 작업인 만큼, 내레이터의 감성이 듣는 이의 마음을 움직일 수 있는 힘이 되어야 합니다. 독자가 오디오북을 들으며 스스로를 사랑하고 치유할 수 있으려면 먼저 내레이터 자신이 그렇게 되어야 하겠지요.

   텍스트에 몰입하고, 나만의 목소리로 마음을 담아 낭독하는 이야기는 앞에서 꾸준히 나누었으니 이번에는 오디오북을 직접 만들어보려는 분들을 위해 몇 가지 팁을 드리고자 합니다.

1. 원고 준비

녹음하기 전, 원고를 소리 내어 여러 번 읽어서 내용을 충분히 이해하고 익숙해져야 합니다. 녹음 시간을 단축할 수 있고, 완성도 높은 결과물을 만들어 낼 수 있으니까요.

서두르지 않고 일정한 속도를 유지하는 훈련도 함께 해야 합니다. 책을 읽다 보면 내용에 심취한 나머지 흥분해서 말이 빨라지는 경우가 자주 있습니다. 오디오북의 속도는 자연스러운 일상 대화를 기준(1분당 평균 400-500자)으로 하는데, 책 내용에 따라 좀 더 느리거나 빠르게 조절할 수 있습니다.

그리고 오독이 생기는 곳이나 숨 쉬는 곳, 강조해야 할 부분에 미리 표시하고 연습해 나가면 실수가 줄겠지요. 원고에 발음을 해칠만한 심각한 오타가 있다면 바로잡아 기록해 두어야 하지만, '이 단어가 좀 더 좋아 보인다'는 생각에서 원고를 임의로 바꾸는 것은 안됩니다.

오디오북에 어울리는 책이 따로 있는 것은 아니지만, 도표와 그림이 많고 사진에 함축된 의미가 큰 책은 목소리로만 그 뜻을 온전히 전하기 어렵습니다. 현재 판매중인 오디오북에 에세이와 단편소설, 장르물이 많은 이유이기도 합니다. 완독이 어렵다면 원고의 일부를 발췌하거나 요약하는 것도 한 가지 방법입니다.

작품 내용에 좀 더 몰입할 수 있도록 녹음 전에 조명과 음악, 따뜻한 물 한잔으로 분위기를 이끌어보는 것도 좋습니다. 긴장할 필요 없습니다. 나와 책 사이에 마이크가 추가된 것뿐이고, 우리는 낭독을 즐기며 편안한 마음으로 녹음하면 되니까요.

2. 전달력

독자들이 오디오북을 찾는 이유는 무엇일까요? 바쁜 일상생활 틈틈이 독서를 즐기고 싶은 마음이 클 것입니다. 하지만 다른 활동을 하면서 오디오북을 듣는다면 그만큼 책에 몰입하는 정도도 희석됩니다. 그렇기 때문에 북 내레이터의 전달력은 중요합니다.

① 일관성
오디오북은 여러 날에 걸쳐 녹음했더라도 마치 하루

에 완성된 것 같은 일정한 에너지와 호흡, 톤이 유지되어야 합니다. 북 내레이션 전체에 일관성을 갖고 텍스트를 전달해야겠지요.

하지만 이 말이 곧 모든 문장을 똑같이 읽어야 한다는 뜻은 아닙니다. 계속해서 문장의 시작과 끝을 같은 방식으로 반복하여 읽는다면, 예상 가능한 단조로움에 독자는 쉽게 지루해지기 때문입니다. 자연스럽게 흐름을 타 보세요. 러닝타임 내내 옆에서 북 내레이터가 직접 책을 읽는 것처럼 느껴진다면 독자에게는 가장 좋은 오디오북이 될 것입니다.

② 발음

침 삼키는 소리, 입과 혀가 맞닿는 소리, 'ㅍ, ㅋ, ㅌ, ㅂ' 같은 파열음은 북 내레이터들의 잦은 고민거리입니다. 낭독할 때는 알아차리지 못했던 소리가 녹음 파일에서는 크게 들려서 당황하게 되지요. 이럴 때는 마이크의 민감도를 낮추고, 입과 마이크의 거리를 15cm 정도 유지하며 팝 필터를 사용하면 좋습니다. 틈틈이 물로 입을 적셔주기도 하고요. 호흡이 가빠지면 발음도 부정확해지기 때문에, 호흡점을 찾아 충분히 숨을 쉬는 것도 중요합니다. 사실 저희조차도 딱 부러지는 해답은 없습니다. 낭독과 녹음에 익숙해지면 스스로가 적당한 감각을 찾게 되니 시간이 자연히 해결할 문제입니다.

③ 캐릭터

낭독을 하다 대사를 만났을 때 '어느 정도로 연기해야 할지 모르겠다'는 분들을 종종 봅니다. 자기만의 소리, 관점, 속도, 어조가 반영된 개성 있는 내레이션은 오디오북에 생명을 불어 넣습니다. 하지만 잊지 말아야 할 점은 북 내레이터는 전달자 역할에 충실해야 한다는 것입니다. 낭독 중 북 내레이터 본인의 희노애락을 강하게 드러내는 것은 지양해야 하고, 동화구연이나 오디오 드라마와도 구별되어야 하겠지요. 만약 등장인물이 많이 나오는 작품이라면 캐릭터 해석이 필요합니다. 누가 누구인지, 주인공과는 어떤 관계인지, 서로에 대해 어떻게, 왜 그렇게 느끼는지, 관계가 어떻게 발전하는지… 이 책의 핵심 독자가 누구일지를 떠올려본다면 캐릭터의 성격과 목소리 톤을 설정하는 데 도움이 됩니다.

3. 녹음

300쪽가량의 단행본을 6시간 동안 완독한 오디오북을 만들려면 비용은 얼마나 필요할까요? 한국출판문화산업진흥원에 따르면 평균 200-300만원 선이라고 합니다. 만약 배우나 아이돌, 유명 성우가 참여한다면 예산은 훨씬 더 올라가겠지요.

예산의 대부분은 스튜디오 대여와 편집 비용입니다. 선뜻 지출하기 부담스럽다면 홈레코딩이 좋은 대안입니다. 집에서 녹음하고 직접 편집한 오디오북도 전문가의 실력 못지않게 좋은 품질로 만들 수 있습니다.

녹음하기 좋은 곳은 이불이나 옷이 많고 좁은 방입니다. 아늑할뿐더러 목소리 이외의 소음을 줄여주기 때문입니다. 장신구와 부스럭대는 옷을 피하고, 마이크 주변에 수건을 까는 것도 방법입니다.

마이크는 한쪽에 치우치지 않도록 바르게 두고, 거리는 15-30cm 정도가 적당합니다. 시선이 아래를 향하면 호흡에 방해가 되기 때문에 바르게 앉아 원고는 눈높이에 두도록 합니다. 마치 애니메이션 더빙 현장의 성우처럼 일어서서 녹음하는 것도 무방합니다.

아무 말 없이 30초 정도를 녹음한 후, 이어폰이나 헤드폰을 사용해서 들어보세요. 이를 '노이즈 플로어 작업'이라고 하는데, 의도하지 않은 배경음이나 소음이 섞여 있지는 않은지 확인하는 절차입니다. 또, 녹음 전에는 반드시 지난 녹음 파일을 듣고 일관된 속도와 톤을 유지할 수 있도록 해야 합니다. 만약 오독을 알아차렸다면 편집하기 좋도록 크게 박수를 한 번 쳐서 편집점을 만든 후 틀린 부분만 다시 읽으면 됩니다.

장비는 처음부터 좋은 것을 구입할 필요가 없습니다. 남들이 추천하는 장비가 나에게는 잘 맞지 않을 수도 있기 때문입니다. 마음먹고 장만했지만 자주 쓰지 않게 되기도 하고요. 핸드폰 녹음 기능과 집에 있는 이어폰, 무료 편집 프로그램인 Audacity부터 이용해 보세요. 오늘 녹음은 어땠는지, 어떤 점을 보완하면 좋을지 고민하며 하나씩 알아가는 과정도 홈레코딩의 일부입니다.

4. 체력과 시간

성우들조차 3시간가량 녹음하고 나면 지쳐서 실수하기 시작합니다. 목소리에 지친 기색이 묻어나고, 표현력이 떨어지는 것도 당연하지요. 오디오북 녹음은 높은 수준의 집중력과 체력이 필요합니다. '앉아서 책을 읽기만 하면 되니까 금방 다 끝낼 수 있겠다'는 생각으로 임한다면 금세 후회하게 됩니다. 녹음에 할애하는 시간은 하루 3시간 미만이 적당합니다. 녹음 파일이 한 호흡처럼 느껴지는 선에서 집중력과 체력을 안배하며 중간중간 쉬는 시간을 가지면 더욱 좋습니다.

경험이 많은 오디오북 내레이터는 오디오북 완성본의 약 세 배가량의 시간을 녹음에 씁니다. 러닝타임이 세 시간인 오디오북을 녹음하는 데 아홉 시간이 필요하다는 뜻이지요. 그러나 어디까지나 참고사항일 뿐, 이 시간에 맞춰야 한다는 것이 아니니 자책하거나 몰아붙일 필요는 없습니다. '나에게, 낭독'을 시작한 여러분은 이 모든 과정을 즐기고 배워나가는 것으로 여겼으면 합니다.

녹음할 때 꼭 챙겨야 할 물품으로는 물과 립밤을 추천합니다. 공기 중의 습도를 올려두는 것도 좋은데, 가습기의 소음이 함께 녹음될 수도 있으니 유의하세요. 녹음에 방해되지 않는 선에서 틈틈이 목을 축여 성대의 수분감을 유지하고 입술에도 충분히 보습해주면 녹음

중 느끼는 불편함이 줄어들 겁니다. 큰 소리를 내거나 헛기침으로 목을 깨끗하게 하려는 노력 대신, 가벼운 상체 스트레칭과 낮은 허밍으로 성대를 부드럽게 만들어 줍시다. 성대는 아주 섬세한 조직이기 때문에 무리하지 않고 잘 달래듯이 사용해야 합니다.

5. 저작권

저작권은 마땅히 보호되어야 하는 권리입니다. 영리·비영리적 목적에 관계없이 우리나라에서는 작가가 살아있는 동안과 사망 후 70년까지를 저작물의 보호기간으로 정하고 있습니다(저작권법 제39조). 채만식, 윤동주와 같은 국내 작가는 보호기간이 지나 저작권이 만료된 상태입니다.

한 가지 더 주의할 점이 있습니다. 대부분의 해외 저작물은 작가 사망 후 70년이 지났어도 '우리말 번역 저작권'이 살아있는 경우가 대부분입니다. 생텍쥐페리의 〈어린 왕자〉 프랑스어 원문, 프랜시스 스콧 피츠제럴드의 〈위대한 개츠비〉 영어 원문은 작가 사망 후 70년이 지나 저작권법의 저촉 없이 이용할 수 있지만, 출판사에서 제작한 번역본은 그렇게 할 수 없다는 의미입니다. 마음에 드는 텍스트일지라도 저작권을 알아보지 않고 녹음하여 오디오북을 만들거나 공개된 곳에 업로드하는 것은 삼가야겠지요. 그러니 미리 저작권자의 허락을 구하거나, 출판사에서 제공하는 저작권 가이드를 확인하는 것을 추천합니다.

─────────── 참고할만한 사이트 ───────────

◎ KPIPA 디지털북센터 올댓오디오북

한국출판문화산업진흥원에서 운영하는 오디오북 플랫폼입니다. 무료 녹음실과 편집실을 이용할 수 있고 오디오북 내레이터 프로필을 등록할 수도 있습니다.

www.kaudiobook.or.kr

◎ 공유마당

문화체육관광부와 한국저작권위원회에서 운영하는 공유 저작물 포털입니다. 저작물마다 사용 가능한 범위가 표시되어 있으니 확인 후 무료로 이용할 수 있습니다.

◎ **낭독 봉사**

각 지역의 점자도서관과 장애인 유관단체에서는 비정기적으로 낭독 봉사자를 모집합니다. 일정 기간의 교육을 받은 후 꾸준히 참여하여야 합니다. 이외에도 한국자산관리공사, SC제일은행에서도 사회공헌의 일환으로 오디오북 제작 프로젝트를 진행합니다.

www.nld.go.kr 국립장애인도서관

www.hsb.or.kr 한국시각장애인복지관

www.silwel.or.kr 실로암시각장애인복지관

◎ **나에게, 낭독**

'나에게, 낭독'을 출판한 페이퍼타이거에서 운영하는 낭독 메일링 서비스입니다. 서혜정·송정희 성우의 목소리를 매주 만나보세요. 꾸준히 낭독하는 힘을 길러줄 강연과 팁, 독자 참여 코너도 준비했습니다.

www.nangdok.com

낭독에 삶에 자연스럽게 스며들 수 있는 질문을
드립니다. 내 마음에 들려주는 목소리가 울려
퍼질 수 있도록. 가장 여유롭고 편안한 곳에서
30일간의 낭독을 즐겨보세요.

5장

30
일
간
의

낭
독

나에게.

이제 '나에게, 낭독'을
시작하겠습니다. 처음 입을 열어
한 문장을 읽었을 때의 느낌은
어땠나요?

소리 내어 읽고 싶은 글을
찾아봅시다. 사랑, 고독, 설렘, 긴장,
온기… 어떠한 감정과 내용이든
좋습니다.

내가 낭독에 몰두할 수 있는

가장 좋은 시간은

언제인가요?

타인의 시선으로부터

방해받지 않고 낭독할 수 있는

나만의 공간은 어디인가요?

내 목소리를 녹음할 때, 파일 제목에
계절, 기분, 녹음한 장소를 함께
적어봅시다.

좋아하는 목소리가 있다면
누구인가요? 그 목소리의 특징은
어떤가요?

오늘의 날씨를

나의 목소리에 담아

표현해볼까요?

자고 일어나서

시 한 편을 읽는 것으로

하루를 시작해요.

낭독에 어울릴 배경음악을

모아봅니다.

나의 숨소리를 들어본 적이 있나요?
깊은지, 가쁜지, 느린지… 숨의 흐름과
움직임을 지켜보세요.

거울을 앞에 두고,

말할 때의 내 표정을 들여다봐요.

무표정인가요? 그렇지 않다면 눈과 입,

볼은 어떻게 움직이나요?

내 목소리의 장점은 무엇인가요?
세 가지를 찾아 소리 내어 읽으며
칭찬해줍시다.

누워서 낭독했을 때의 느낌은

어떤가요? 앉거나 서서 낭독했을

때와의 차이점이 있었나요?

당신이 낭독회에 초대받았다고
상상해봅시다. 자유롭게 책 한 권을
가져갈 수 있다면 그 책은
무엇일까요?

잠시 글 앞에 멈춰 눈으로 천천히

읽고, 생각하고, 내용을 느껴봅시다.

충분히 시간을 준 후에 소리 내어

읽어봐요.

나에게. ————

만약 내가 만화나 영화의
성우가 된다면 어떤 인물의 목소리를
맡고 싶나요?

외국어로 낭독을 한다면
나에게는 어떤 언어가
잘 어울릴까요?

나에게. ─────

메모장을 열고, 낭독하고 싶은

예쁜 단어들을 모아봐요.

그리고 천천히 오감으로 느끼며

읽어봅니다.

걸으며 낭독했을 때의 느낌은

어떤가요?

세상 어디로든 갈 수 있다면,

어느 곳에서 어떤 낭독회를

열고 싶나요?

낭독을 하다가 감정이 강하게 올라와

갈무리하기 위해 숨을 고르는

순간이 있었나요?

한 문장을 여러 가지 느낌으로
읽어봅시다. 사무적으로, 다정하게,
설득하듯이, 속삭이며, 활기차게…

가벼운 몸짓을 넣어 낭독해봅시다.

손, 머리, 어깨, 가슴…

어디든 움직여보세요.

나에게, ─────

누군가에게 나의 낭독을
들려준 적이 있었나요? 있다면
어땠나요?

만약 여행을 간다면,

그곳의 작은 서점에서 책 한 권을

산 후 하루의 여정을 마무리하며

낭독해봅시다.

나에게. ───────

유독 내 혀를 꼬이게 하는

발음이나 문장이 있나요?

낭독할 때 내 몸의 어느 곳이
가장 많이 울리는지 느끼고 그 감각에
집중해 보세요. 그리고 울림이
점차 몸통으로 옮겨갈 수 있도록
의식해봅시다.

10년 전의 당신에게 하고 싶은 말이

있나요? 짧게 편지를 쓰고,

목소리로 전해주세요.

나와 가까이 있는 사람의 목소리를
들어보세요. 억양과 굴곡은 어떤가요?
목소리에서 무엇을 느낄 수 있나요?

30일 동안의 '나에게 낭독'이
즐겁고 따뜻한 시간이었길 바랍니다.
낭독을 시작하고 나서 이전과
달라진 점이 있나요?

낭독

나에게, 낭독
내 마음에 들려주는 목소리

1판 1쇄 펴냄 2018년 11월 11일
개정판 2쇄 펴냄 2023년 4월 21일

지은이	서혜정 송정희
편집인	박대호
디자인	이새미
펴낸이	김은선
펴낸곳	페이퍼타이거

등록	제 25100-2021-000032호
전화	02-6928-5040
팩스	02-6280-5045

인스타그램 @book_papertiger

ISBN 979-11-964486-1-5 03800

· 낭독 텍스트는 한국문학예술저작권협회, 저작권자의 승인을 받아
  수록하였습니다.

 나 에 게 힘 이 되 는 페 이 퍼 타 이 거 의 다 른 책 들

무림고수 화성학 1-3

임광빈 지음 | 배민기 그림

읽기만 해도 강력한 깨달음이 온다!
악보부터 음정까지, 제일 쉬운 왕초보 음악 입문서

낭독을 시작합니다

문선희 · 정남 · 이용순 · 임미진 · 송정희 · 조예신 · 서혜정 지음

정상급 성우 7인이 전하는
내 말투, 목소리, 그리고 마음을 돌보는 낭독

(2023년 출간 예정)

이 지옥을 살아가는 거야(오디오북 별매)

고바야시 에리코 지음 | 한진아 옮김

우울증, 에로만화 편집자, 기초생활수급자, 자살미수…
서툰 그녀가 다시 세상을 살아가기까지

완전탈출 만성피로

스기오카 주지 지음 | 황선희 옮김

7만 건의 임상으로 증명하는 피로 회복 솔루션―
이루고 싶은 게 있으면 만성피로부터 떨쳐라!